COMITÉ D'ENTREPRISE
**BARCLAYS BANK PLC**
45, Boulevard Haussmann
75315 PARIS CEDEX 09
Tél. : 01 55 27 58 89

# LES TRAFIQUEURS

LUCIO MAD

# LES TRAFIQUEURS

roman

GALLIMARD

C'était il y a trois ans maintenant. Le monde, ici, à Abidjan, était déjà très décadent. L'inquiétude me gagnait.

*

Saint-Ange me sert un verre. Généreux. Il ajoute de la glace pilée sur mon whisky, à pleine main, et un peu de coca éventé. La musique de la boîte, poussée à fond comme il se doit, rend toute parole inaudible. Pour se faire entendre, Saint-Ange hurle sous le mélange des néons, des stroboscopes qui passent et repassent, créant des ombres et des spectres, des masques sur nos visages. Dans son dos, des gens circulent, déformés, lointains, invisibles, ils se bousculent. Chaussées de talons hauts, les femmes titubent. La piste de danse est surchargée. Le disco et le funk font vibrer les boomers des enceintes sur le rythme du cœur.

Je vois des gouttes de sueur qui perlent du front de Saint-Ange, il parle en fumant, son nez et sa bouche sont deux volcans constants :

– C'est fini, me dit-il, c'est fini les bananes, *a bana* [1],

1. *A bana* : « c'est fini » (dioula).

7

oublie, mauvais plan, mauvais commerce, les bananes ça se casse la gueule mon vieux, ça ne vaut plus rien. T'acharne pas, tu vas nulle part.

– C'est pas terrible, il faut le dire.

– C'est gâté comme disent les gens ici, complètement, ajoute-t-il. Dis-moi, combien tu t'es fait ce mois-ci ?

Saint-Ange connaît la réponse à sa propre question.

– Presque rien, je suis fauché, à sec.

– Les bananes c'est comme le café, le cacao, l'arachide, de la merde, de la dure, de la marron. Amidou Diallo *diaye katou banana* [1] ! c'est de la poésie, oui ! Il se marre. T'es con ou quoi !

Saint-Ange est Antillais – d'origine haïtienne pour être précis, son patronyme l'indique –, très blanc, pratiquement chabin. Saint-Ange, sa gueule étrange et singulière, ses cultures multiples qui toutes viennent de la rue ou du trottoir... Ses traits sont ceux d'un Français de souche, sa tenue chemise-pantalon sortie de chez Barbès branché accentue sa physionomie de Paris. Il est le fruit de plusieurs générations de métis. Derrière le Blanc se cache le Noir, et vice versa, tant dans l'apparence que le cœur, le caractère et la personnalité, habile richesse du mélange des sangs. En tous les cas, Saint-Ange a fréquenté Ménilmontant au moins pendant vingt ans, il y a vécu, c'est sûr, une bonne partie de sa vie. Je le constate à l'écoute de son accent. Un accent à couper au couteau, à faire pâlir un gosse des faubourgs, des Faubourgs Saint-Martin, Saint-Antoine ou Saint-Denis, du Faubourg du Temple aussi, pas du Faubourg Saint-Honoré.

Je me demande par quel hasard bizarre il a pu atterrir à Abidjan. Je l'imagine très bien en banlieue parisienne,

---

1. *Diaye katou banana* : « vendeur de bananes » (wolof).

garagiste, cafetier ou turfiste, et passant six mois à Fresnes de temps en temps, pour des broutilles. Depuis quand traîne-t-il en Côte-d'Ivoire ? Mystère. Sa conversation m'intéresse.

– Un bon conseil, change de business, mon gars... pendant qu'il est encore temps.

– Changer de business, changer de business, t'es marrant toi...

– Un peu d'imagination, Amidou, voyons, tu es bourré de ressources normalement...

Bourré, oui, le whisky aux lèvres.

– Facile à dire, pour toi c'est bon, tu n'as pas à te plaindre et pas de soucis, de prises de tête, lui dis-je pour me défendre.

– Bon, moi j'ai besoin de rien c'est sûr. Saint-Ange marque un temps, tire fort sur sa cigarette et reprend, c'est vrai j'ai de la chance, la boîte qui tourne pas mal, concède-t-il d'une voix neutre, sans orgueil, Koffi au ministère, je suis couvert, ça rentre, j'ai mes amis, toi t'es déprimé...

Déprimé, ce n'est peut-être pas le mot, mais entre deux eaux certainement. Je me pose des questions, et, bien souvent, ces dernières semaines je me laisse aller. Je suis assez mou, je manque de jus. Sans parvenir pour autant à formuler mon problème, problème de boulot, certes c'est évident, mais problème de vie aussi. Les deux sont liés, c'est vrai. Et pourtant... Je ne sais pas. Je suis comme absent de moi-même. Je veux m'écarter du monde, et en même temps y prendre intérêts. Prêt à tout recommencer, la vie devant moi, et, paradoxalement, un peu assis. Je lis les journaux à moitié, d'un œil distrait, je bois des bières à quatre heures de l'après-midi.

Saint-Ange nous verse des doses de whisky, sans rechigner. Et toujours en renversant le seau de glace sur nos rations. Les verres débordent. Il s'en fout, tout est pour lui, la bouteille et... les glaçons ! De l'eau froide un peu trouble coule de la table, mouille mon pantalon et rafraîchit mes couilles. Je bondis de mon siège en serrant les dents. J'éponge la table. Et je vais pisser.

Saint-Ange est un ami de longue date, mon aîné aussi, il approche doucement de la cinquantaine, un homme d'expérience, une espèce d'oncle parallèle, j'ai confiance en lui, il ne me parlerait pas comme ça, intimement, pour rien.

Je me suis soulagé et vidé la vessie. Disponible de nouveau, j'écoute Saint-Ange. Véhément, il poursuit son discours :

– Tu vas quitter ces putains de bananes, me dit-il, presque menaçant, affirmatif.

– Oui, je pense, bof, tu sais, dis-je, rajustant sous la table, un peu et discrètement, ma bite et mes couilles...

Son ton me prend tout de même au dépourvu.

– T'as voyagé, t'as fait le Mali, le Sénégal, le Burkina, la Guinée, tu connais, c'est le bordel, le bordel que t'as vu, hein ? me relance-t-il.

– Ouais, le bordel, tu peux le dire, un méchant bordel.

– T'as vendu quoi, t'as vendu pas grand-chose.

– C'est vrai, c'était la galère pour vendre.

– Et tes intermédiaires, c'était quoi pour eux ?

– C'était aussi la galère, pire que la mienne encore.

– Et ce ne sont pas les seuls à pleurer ; les cultivateurs c'est la catastrophe, ils sont au trente-sixième dessous, ajoute Saint-Ange avec une mine de circonstance. Il boit son verre d'un trait.

– Ouais, ouais, je sais tout ça, mon patron n'arrête pas de le dire à tout va... Mais Abidjan c'est pas mieux, tu sais.

10

– Abidjan, c'est pas mieux, m'accorde Saint-Ange. Alors dans ta situation, me dit-il, il n'y a qu'une chose à faire : profiter ! profiter d'un bon business mon vieux ! Je hoche la tête.

– Bon, t'as compris...

J'écoute Saint-Ange, attentif, amusé par son cirque, soudainement intéressé par son espèce de lourdeur un peu comique sur le sujet, ce n'est sûrement pas gratuit, curieux donc, impatient de savoir où il veut en venir.

Saint-Ange écrase sa Saint-Moritz Menthol dans le cendrier déjà bien garni de bouts blonds bagués de doré, et broie le paquet vide, le troisième ou le quatrième de la journée. Alors il me propose de trinquer en silence. Il lève son verre, théâtral, se redresse, solennel, avale son scotch, puis se penche vers moi, me prend l'épaule et me dit à l'oreille :

– Les papiers ! voilà la bonne idée de business pour toi : les PAPIERS.

– Les papiers ? ? ?

Les papiers. Je suis surpris. Je ne vois pas.

– Oui, réveille-toi, continue Saint-Ange, les papiers... les faux papiers ! les visas, les passeports... Les gens ici en ont marre, ils veulent s'en aller, partout, partir en France, ou ailleurs. Et t'es au courant de l'enfer pour entrer dans les pays, en Europe, tu sais le chemin de croix administratif, les queues aux ambassades et aux consulats, les pièces impossibles qu'il faut présenter pour obtenir un putain de coup de tampon. C'est la bonne idée pour toi, les papiers. Tu fournis visas, passeports, les formulaires...

Je reste coi. Je me penche vers Saint-Ange pour mieux l'entendre. Derrière nous, un anniversaire est applaudi à tout rompre. C'est ça, bonne santé à tout le monde et

11

happy birthday ! Saint-Ange laisse passer le bordel et
enchaîne :

– Tu sais lire et écrire parfaitement, tu parles les
langues d'ici et de la région, ajoute-t-il. Voilà le deal, il
est honnête, je te mets sur les rails après tu te débrouilles,
tu t'organises, 10 % des gains pour moi, à la confiance...

J'ai compris l'intelligence de l'affaire, et le bon argent
possible au bout. Mon esprit retrouve de l'énergie.

– Parfait ! dis-je, ravi.

Je ne suis pas homme à traîner dans les décisions. Je
sais m'emballer et être prompt dans l'action. Je suis
quelqu'un qui fonctionne sur la passion. Je ne suis pas
un businessman international, mais j'aime faire des coups.
La proposition de Saint-Ange m'enchante, mes poumons
se libèrent, je respire, je vois le rideau se lever de nouveau
sur ma vie.

– Et puis c'est pas trop risqué, pas de sang, pas de
violence, pas trop amoral et politiquement...

– On s'en fout.

Saint-Ange me jette un coup d'œil muet, déchire un
nouveau paquet de Saint-Moritz Menthol. Il se cloue
une king size dans la bouche, et entre ses dents :

– Amidou, c'est bon, je te donne le plan, après tu te
démerdes, comme tu veux, avec qui tu veux, OK ?

J'acquiesce sans répondre.

– Écoute Amidou, voilà comment tu vas faire...

*

Tout commence toujours dans l'alcool, dans une entrevue de comptoir, au bar, dans le night-club, un soir.
C'est classique. Un ami, Saint-Ange, me met sur la piste,
et je deviens, par opportunisme, par intérêt, par choix,
un TRAFIQUEUR.

– Passe-moi la colle René !

Avec mon ordre, je brise net un silence de cathédrale. Mes bras et mon cou sont tendus, mes nerfs à fleur de peau. Pour être à l'aise, je me suis débarrassé des pendentifs, reliquaires et autres croix païennes qui barrent habituellement ma poitrine – ils me gêneraient dans mon action – et je bosse torse nu. J'ai le nez pratiquement scotché au passeport que je travaille, le dos rond. Je transpire. René Mwanga, mon associé, me tend le tube de colle dans un geste de bistouri.

– Merci, lui dis-je après un temps.

René est mon assistant, je suis le chirurgien. Un chirurgien pas très doué d'ailleurs. Heureusement que la médecine n'est pas mon métier, j'en flinguerais des patients, à grands coups de scalpel dévissés ou à côté ! Voilà ! je fous plein de colle sur les ciseaux dont je me sers pour découper une photo d'identité, les ciseaux collent à la photo, la photo dégouline sur le passeport que je suis en train de trafiquer, la colle – toujours – s'imprègne au nom du type supposé porter la photo sur le passeport, il devient illisible. Je salope tout, j'en fous partout, c'est la galère, je m'énerve, j'insulte :

13

– Connard, putain, enculé, *gawa ka filé yo,* merde, putain de bordel d'enculé, connard, enculé, bordel, connard, connard !... Tout y passe, en français, en langue, en wolof, en dioula, en américain – motherfucker ! –, en funk aussi, pour traverser l'Océan et faire le tour de la terre entière. J'insulte. Si je connaissais quelques injures chinoises, je les utiliserais outrageusement. J'insulte. Avec ostentation et insistance. M'insultant également moi-même dans mon élan :

– Connard, gawa, enculé, putain, connard, bordel de bite !...

Je ne heurte pas René, mes jurons, il ne les entend plus, il en a tellement l'habitude, c'est toujours la même chose quand mes mains sont à l'épreuve. René n'insulte pas, lui, non, il grogne. Chacun son style. Je l'entraperçois du coin de l'œil, il bougonne. Puis, me voyant m'emmêler toujours plus les pinceaux, d'une voix pincée il se fout de ma gueule. Tout à mon embrouille je ne réagis pas vraiment, alors, sans en avoir l'air, il me suggère pédé, ce qui m'énerve franchement. Allez savoir pourquoi. Je ne suis pas concerné par son apostrophe – c'est à outrance que j'aime les femmes – et je n'ai aucune haine particulière envers les homosexuels.

Enfin, la réaction de René à mon égard, sa nervosité, son fard se justifient, je ne suis pas ce qu'on appelle un bricoleur. Manuellement, je suis à chier, je n'oserais jamais prétendre le contraire. Mais il a bien fallu que je m'y fasse aux travaux pratiques avec ce putain de métier de trafiqueur de papiers. Planter un clou, tirer un trait droit, réparer une machine, changer un carreau, un pneu, une bougie dans un moteur, démonter une prise électrique (et la remonter), j'en suis absolument incapable. Pourtant, je sais rouler des joints avec la plus extrême habileté – les cônes et cigarettes que je produis sont esthétiques et bien calibrés, ils tirent parfaitement et ne s'éteignent jamais en cours de route –, mes doigts pour cet ouvrage sont alors comme des virtuoses sur un piano, je peux aussi, avec adresse et sans me vanter, toucher une femme, sa bouche, ses seins, son sexe, ses fesses, et son ventre, ses épaules, son cou, ses reins, son dos, ses bras et jambes, ses cuisses bien sûr, ses joues, ses yeux, chaque zone merveilleuse de son corps. Alors, quoi ? À croire que le vertige spirituel et planant d'une part, le bonheur physique de mes sens de l'autre, prennent le pas sur l'aspect pratique des choses. Je suis surtout sensible à l'esprit, à la volupté, le matériel est secondaire. C'est rassurant certes, un peu douteux aussi. La drogue et les femmes c'est bien, je ne vais pas le nier, c'est impossible, mais le boulot c'est le pognon, et le pognon ça m'intéresse.

– Bon, refile-moi toutes ces merdes, intervient René, de mauvaise humeur maintenant.

Il s'empare de mes ustensiles. Nous inversons les rôles. René officie, j'aide. En deux minutes, les pendules sont remises à l'heure, 0-0, nous sommes à égalité, car force est de constater que René n'est pas plus adroit que moi. Rebelote effectivement : il fout de la colle partout, glisse du poing sur le papier, étale l'encre d'un cachet encore frais, fait un pâté...

– Laisse-moi rire René. Je jubile à mon tour : douce revanche.

René gronchonne :

– Ouais, Amidou, vu tes exploits, excuse-moi de te demander de la fermer.

Si j'insiste, il va tout laisser tomber pour aller bouder

et s'écrouler dans sa chambre. Je reprends mon sérieux, je me tais.

J'exagère le tableau, nous merdons à peu près une fois sur quatre, deux fois les mauvais jours. Restent les deux ou trois fois qui sont des réussites. Ce sont de bonnes satisfactions – elles sont à la hauteur des difficultés éprouvées. Si les échecs nous rendent fébriles, les victoires nous gratifient. Premièrement, nous avons fait des progrès en ces quelques années de trafic, deuxièmement nous travaillons de plus en plus avec du matériel neuf, passeports et cartes d'identité déjà prêts à l'emploi, pré-préparés à la source, volés pour tout dire. Et puis le bricolage, ce n'est qu'une partie du boulot, une petite partie finalement. En effet, sans parler du côté commercial et clientèle du business, un visa, par exemple, ne se bricole pas, il s'obtient. Cela dit, il faut toujours un peu découper, coller, gratouiller à la plume, voire superposer, décalquer, imiter, contrefaire, bref se servir de ses mains. Nous n'y coupons pas.

Suivant cette petite pause colère, nous reprenons notre labeur. Cette fois, nous nous penchons tous les deux, René et moi, sur la pièce rebelle. Nous redoublons d'application et de concentration, René chausse ses lunettes d'hypermétrope, je tire un peu la langue. Un instantané polaroid pris à cet instant et je ne serais pas à mon avantage.

Je sors un tampon de l'ambassade de France.

– D'où tu le tiens, celui-là ? me demande René.

– Tiré sur le bureau du Chargé de Relations Publiques du consulat, un alcoolique notoire doublé d'un contre-espion, lui dis-je, il traîne dans les maquis, les boîtes, les bordels bien sûr, chez les ministres, etc., il reçoit les diplomates de passage, il est censé organiser des réunions, certaines mesures de sécurité, c'est un agent spécial, sa fonction de P.R. [1] une couverture. En fait il glande toute la journée et se déprave plus qu'autre chose, je ne sais vraiment pas où les Français les trouvent ces épaves-là, dans les caniveaux de Pigalle sans doute. Ce type ne boit jamais d'eau, mais que du whisky et du pastis pur ! il passe très rarement à son bureau, en tous les cas jamais avant deux heures de l'après-midi. Enfin, c'est un gars au bout du chemin, placardisé plus ou moins, une espèce de sous-merde...

– Tu le connais ?

– Le connaître c'est un grand mot, je vois sa gueule c'est tout, mais lui ne me connaît pas. Marie-Chantal me raconte sa vie, ses occupations, ses perversions, enchaînai-je pour calmer le petit stress qui gagnait déjà l'esprit de René.

– C'est mieux comme ça, conclut-il.

– Je fais gaffe, dis-je finalement, avec autorité.

– Et comment s'appelle-t-il ton gars ? me questionne encore René.

– Marseille, Jean-Pierre Marseille.

– Ah ouais... note seulement René, c'est trop drôle.

René est très au courant de ce qu'évoque pour moi le seul mot de Marseille. Non que je déteste le peuple marseillais en général, mais je suis un supporter du Paris Saint-Germain, adversaire de Marseille devant l'éternel. Ça peut paraître stupide de supporter le Paris Saint-Germain, ici, à Abidjan, mais l'OM et le Milan AC, Barcelone même, bénéficient de clubs de supporters dans le monde entier. En Côte-d'Ivoire, je supporte le Paris Saint-Germain à moi tout seul, la notoriété nouvelle de mon équipe n'ayant pas encore franchi les frontières hexagonales. Mais je ne suis pas inquiet, mon PSG sera

1. P.R. : Relations Publiques.

17

bientôt reconnu à sa juste valeur. Cet amour et cette fidélité, c'est une vieille histoire entre le Paris Saint-Germain et moi, ce serait trop long – et fastidieux – à raconter, il suffit de savoir que le Paris Saint-Germain est un peu mon petit frère, il est né quand je suis moi-même né au football, à l'âge de six ans. Avec le foot au Parc des Princes, j'ai ouvert les yeux au monde. Pour la première fois ma vie se détournait du centre d'intérêt unique représenté par mes parents, je ne peux pas l'oublier. J'ai passé mon enfance avec le Paris Saint-Germain dans le cœur.

J'ai de la chance, René adore le foot, il comprend ma passion – et la partage aussi forcément –, je peux lui parler de tout ça, je ne l'emmerde jamais avec mes histoires de Paris Saint-Germain. Quant à l'OM, il n'a pas le droit de cité. René est conciliant, il ne vient pas me provoquer en défendant mes adversaires, ce n'est pas son genre.

– Et tu acceptes de travailler avec du matos qui vient de chez un « Marseille » ? enchaîne René, sincèrement surpris. Ça m'étonne de toi, tu n'as pas peur qu'il ne te porte malheur ce mec-là ? me plaisante-t-il.

– Au contraire René, au contraire, bien au contraire, lui dis-je, tripotant le tampon avec amour et douceur, ravi de ma nouvelle et très utile acquisition.

– Qui te l'a fourni ce tampon ?

– Marie-Chantal, te dis-je, comme d'habitude.

– Ah oui, c'est vrai, et elle est bonne Marie-Chantal j'en suis sûr, insiste lourdement René.

– Ta gueule, je t'en prie.

René étouffe ses sarcasmes. Ce débat vulgaire est clos. De nouveau, nous nous concentrons sur le boulot.

Nous consacrons deux matinées par semaine à ce que l'on peut appeler les « manipulations techniques », de 11 heures à 13 heures environ, il ne faut pas nous demander de nous lever plus tôt, mais, par sérieux, nous préférons faire ce petit boulot le matin plutôt que le soir, où nous sommes souvent ou trop raides, pour moi en tous les cas car René ne fume pas, ou trop bourrés, ce qui peut nous concerner tous les deux, ou, tout simplement, trop fatigués après une grosse journée de boulot. Nous avons besoin d'être frais et dispos pour les découpages. En fait, comme on le verra un peu plus tard, nous savons gérer nos journées, nous avons le souci de l'organisation. Oui, quitte à bosser...

Et notre vie s'en va – le boulot c'est le boulot – et nous avec, à la bourre de ses feux, à la traîne, en avance des fois aussi, tantôt *down* et battus, tantôt légers et presque heureux, rarement.

Et les voici maintenant les papiers, les passeports, entre nos mains, flambant neufs, parfaitement encollés, sans problèmes, invulnérables, un penalty à tous les contrôles d'immigration, en force, et à contre-pied !
– Et un autre de plié ! lance René en rigolant.
Il jette la pièce en l'air, le passeport flotte, s'envole, vole et retombe sur la table comme une feuille de papier sur le pavé, grossissant encore un peu plus le tas déjà très consistant des documents falsifiés.

Quel Abidjanais, quel Africain – qui a tant soit peu voyagé – ne connaît pas le Treichôtel ? Tout le monde en a entendu parler, rares sont ceux qui y ont effectivement mis les pieds. Le Treichôtel fait partie des contes et légendes, des mythes de l'Afrique moderne. Les guides touristiques pour routards désargentés ou babs fumeurs ne le mentionnent jamais. On se chuchote son adresse – le bouche à oreille fonctionne bien –, comme on se passe celle d'un bordel où toutes les enculeries sont permises. Le Treichôtel traîne après lui sa réputation – justifiée d'ailleurs – de coupe-gorge, de lieu de très très mauvaise vie comme une odeur de merde malade.

Débarquant du Sénégal en Côte-d'Ivoire, il y a de cela des années, le taximan que j'attrapai à l'aéroport m'emmena au Treichôtel. Y'a confort et y'a sécurité pour un rasta comme toi, me disait-il, jetant dans son rétroviseur un coup d'œil hilare à mon regard brisé.

Aujourd'hui, ma mémoire me joue des tours, non qu'elle soit oublieuse ou sélective, mais elle est bourrée de trous et cirrhosée, mes souvenirs s'estompent. Passai-je un bon séjour au Treichôtel ? Sans doute, oui.

– Vous traiterez ici toutes vos grosses affaires, nous dit Saint-Ange dans le hall, allumant une éternelle et longue cigarette, l'ambiance générale vous protégera des connards. Il n'y a que ça ici, des connards !

Il se marre, il est à l'aise.

Je jette un coup d'œil circulaire autour de moi. Il ne faut pas être sorcier pour comprendre que tout pue la magouille dans cet endroit.

– Ça va, dis-je simplement me tournant vers René.

L'air sérieux, mon associé hoche la tête.

– Le Treichôtel, c'est un peu le Club Med' des bandits et des trafiqueurs, continue Saint-Ange, on vous foutra la paix, et Saint-Ange part cette fois-ci dans un rire tonitruant, répand de la fumée tout autour de lui, jusqu'à ses cheveux à moitié crépus qui semblent bouillir, et un insupportable parfum de tabac et de menthol mélangés.

Saint-Ange nous présente Marcel, le taulier, un curieux bonhomme, une espèce de vieillard sans âge au teint jaune-gris. Ses yeux sont tout biscornus, il parle peu.

Sans protocole, Saint-Ange mène la négociation. Nous l'écoutons.

– Marcel, voilà mes deux gars, Amidou Diallo et René Mwanga, ils viendront chez toi de temps en temps pour leurs affaires, ce sont des types sans problèmes. Je compte sur toi pour leur assurer la paix et la tranquillité, OK ?

Sans nous regarder, Marcel émet un son où se mêlent le grognement, le renvoi, l'insulte peut-être aussi et le salut.

– OK, OK, tout va très bien, traduit Saint-Ange avec un large sourire.

Personne ne dit rien.

– Bon, et puis pas d'histoires de pognon entre toi et

eux, enchaîne soudain Saint-Ange, très clairement, en détachant bien chaque mot, et fixant Marcel du regard. Saint-Ange est si relax habituellement, sa fermeté m'étonne un peu.

Le vieux évite les yeux de Saint-Ange et, après un temps, se fend du même bruit affreux que tout à l'heure. J'ai bien peur que Marcel ne nous crache ou ne nous gerbe dessus. Mais finalement, ô surprise, il parle. Chaotique d'abord, son texte arrive ensuite à être audible. Marcel fait des efforts.

– Faut aller boire verre au bar les gars, éructe Marcel, scellant notre pacte à sa façon.

– Très bien Marcel, très bien, c'est ça... mais pour le verre ça va, le coupe Saint-Ange, visiblement satisfait par la réponse du vieux, jetons seulement un coup d'œil à l'intérieur du bar.

Nous faisons un tour rapide du bar. Il est désert, il est midi. Une mama accroupie lave le sol à l'aide d'une serpillière noire de crasse.

– Pour le business, ce sera là, OK les gars ?

– Parfait, répondons-nous d'une seule voix, René et moi.

La visite et l'entrevue n'ont pas pris plus de cinq minutes. Nous quittons le Treichôtel.

– À plus Marcel ! salue seulement Saint-Ange.

Et dans la rue :

– Ça vous va, les gars ? Pas de soucis, pas d'angoisses, aucun point d'interrogation ?

– Non, rien, répond René.

– Concernant le père Marcel, ne vous tracassez pas, reprend Saint-Ange, c'est un vieux dingue, mais en fait il est sympa, vous apprendrez à le connaître, et puis je l'ai sous mon contrôle, ajoute-t-il, Marcel me doit ce petit service, mes amis assurent la sécurité du Treichôtel.

Nous ne posons aucune question, les histoires de Saint-Ange, ses amis et relations, ses appuis, ses affaires, ne nous regardent pas. Occupons-nous seulement des nôtres. Dans le business, il faut savoir fermer sa grande gueule.

– Alors pour arroser ça, une salope, ça vous dit les gars ? nous demande Saint-Ange dans la rue, en se crachant dans les mains.

René n'est pas contre, je le sens. Et moi, franchement, je suis à l'aise. Oui, une salope, et pourquoi pas ?

*

L'euphorie du moment, celle de mes premiers pas dans le métier de trafiqueur, est passée. Elle fut de courte durée, en vérité.

J'ai vieilli en trois ans, mais j'ai encore mes cheveux et mes dents. J'ai un tout petit peu grossi, pris un bon kilo peut-être, mais ça ne se voit pas. Aucun signe particulier là-dedans. Je suis en bonne santé. Je maîtrise mon régime de gerbes et de chiasses, chiasse et gerbe étant les deux métronomes de mon horloge interne, de mon anneau pylorique, de ma condition physique. Le paludisme, accroché à mon corps comme un anus à son cul, ne me tracasse pas trop, j'ai un peu de fièvre tous les trois ou quatre mois. Je me soigne à l'Alphan dans les crises. C'est un médicament très cher, mais j'ai les moyens. Je le dis sans vergogne. Tout roule.

Je ne sais pas si ma vie s'est améliorée pendant tout ce temps. Je veux parler de ma vraie vie, de ma vie intérieure, de celle qui motive mon état mental et conduit mon moral. Je suis bien obligé de constater que je souffre toujours d'un fond d'anxiété chronique, rien qui ne pourrait me pousser au suicide, non, mais un pincement continuel dans la région du cœur. Ce pincement peut rester calme, je ne sens presque rien, il est simple corps étranger, il nage en apnée dans mon sang. Et je suis bien, normal. Mais le pincement peut augmenter en pression, un soir, une nuit, un matin, sans prévenir, il devient Tantale, alors j'ai mal.

Quelle est cette lucidité, cette vision de futur bouché, de bonheur impossible qui m'étreint ? Je n'en sais rien. Tant de choses m'échappent.

La vie est trop dure ici, et sans promesses de changement, sinon en pire. Le parcours économique et par conséquent social du pays ressemble de plus en plus à un téléfilm de science-fiction atroce. Le sort de la Côte-d'Ivoire se joue loin d'ici, il est entre les mains d'inconnus dont les intérêts financiers passent avant tout.

Le jeu politique national est obscur, il tend au chaos en cas de déstabilisation. L'opposition compte plus de deux cents partis, pour la plupart dirigés par des sorciers et des prêcheurs. Ils se détestent entre eux. Certains, plus enragés, plus paranoïaques ou, tout simplement, plus prévoyants, dressent des milices armées à leurs côtés.

Je ne me plains pas. Nos affaires sont en expansion.

Avant-hier, j'ai encore décroché cinq visas touristiques valables trois mois pour la France, grâce à toute une combinaison de faux certificats. Mes gars partent tout à l'heure, sur le vol direct de 16 heures. Je suis sûr que ces cinq-là ne reviendront jamais au pays, je peux le jurer, ma main de voleur à la charia ! Bon vent à eux ! Sincèrement, bonne chance les gars !

Nous avons toute une foule de rendez-vous à venir. Rien que des clients sérieux.

Depuis quinze jours, René me branche et me prend la tête avec une histoire juteuse. Paraîtrait-il des huiles, pleins aux as les mecs. Ils commanderaient des passeports nigérians, portant des noms de femme exclusivement. Ça tombe bien, nous en avons en stock. Pas des dizaines, mais suffisamment pour assurer et satisfaire ces merdes puantes de marchands d'esclaves. René partage mon sentiment, encore une sale histoire de transfert de putes. Nous verrons tout ça la semaine prochaine au Treichôtel. Je ne suis pas pressé de traiter cette affaire, elle me fait un peu gerber, et gerber, pour moi – je n'insisterai jamais assez –, c'est toute une histoire.

\*

Question confort personnel, ça va aussi. J'habite à Abidjan un appartement, luxe et squatté, que j'appelle « New York », au 38ᵉ étage d'une tour dans le quartier du Plateau.

Le Plateau, le quartier des affaires gâtées, du pouvoir dissolu, de la culture perdue.

Faux quartier ! disent les gens d'Abidjan. Faux quartier, oui, répètent-ils à l'envi, avec dédain et ironie. Faux quartier, crispé, recroquevillé, coupé du reste de la ville, sans âme, sans voisins, sans ces petites choses du soir et du matin, du quotidien, qui composent l'existence de tous, d'un groupe humain.

Seul, le grand marché, comme une verrue purulente qui pousse au centre, rappelle un peu la vie. Dans son ventre se sont enfouis des clochards au bout de tous les rouleaux, des malades du sida au dernier stade du souffle, tuberculeux sans doute – des squelettes bardés de hardes –, juste avant la mort, et les lépreux qui les côtoient, sans bouche, sans mains, sans pieds. Ils retournent à l'état sauvage.

Le marché grouille la journée, on peut y acheter de la viande, des légumes frais, des fringues, du matériel hi-fi japonais, de la maroquinerie, des objets africains mais aussi des peignes, du dentifrice, des lacets, des petits cadenas, des cahiers, stylos, gommes ; tout peut se négocier à l'unité, 3 cigarettes, 2 feuilles de papier bloc, 50 francs de beurre, 1 verre de lessive, 5 bonbons... Un supermarché à ciel ouvert, un concentré de tout ce qui s'achète et se vend dans le domaine de la petite consommation.

Le Plateau, faux quartier – mais tout ici est faux, ou plus exactement devenu faux – seulement rythmé durant la semaine par le va-et-vient des fonctionnaires, des employés, des hommes pressés – pressés de partir ? pressés de s'enfuir ? pressés de quoi ?

*

Je traîne dans mon salon, mes vieilles sandales aux pieds, un pagne en négligé sur les reins. À petites gorgées, je bois une bière, une Flag, la bière d'ici, 75 cl, chaude d'avoir été sirotée. J'allume la télé, change de chaîne, rechange de chaîne puis l'éteins. Je vais d'un bout à l'autre de la pièce, avec ma cigarette. C'est dimanche. René est sorti chercher du lait caillé avec du pain pour le goûter, il en a pour une petite heure, trouver un maquis ouvert le dimanche, à cette heure-ci... Tout est fermé, il devra marcher.

« New York » chez moi : deux baies vitrées, spectaculaires, immenses, vertigineuses s'offrent à ma vue. Elles me distraient et, plus encore, bercent ma vie.

Au nord, un plan en hauteur, imposant, il écrase mes dimensions comme King-Kong surgit sur l'écran, le jour, et la nuit dans les feux : tous les buildings de la cité, les gratte-ciel, le business, les freeways en suspension – inutiles maintenant, désertés par le prix dément de l'essence, ils serpentent au creux des bâtiments –, l'argent, les faux-semblants encore une fois, l'absence des sentiments.

Au sud, en une folle dénivellation, une chute, un puits sans fond, la vue plonge dans la lagune Ébrié, l'eau à pic, noire et graisseuse, parsemée de petites barques trouées, et, vers la mer, de quelques cargos rouillés battant pavillon du Panamá, du Liberia ou d'un autre endroit bidon. Un peu plus loin, après le pont Houphouët – il coupe en deux ce bras d'eau mi-sel, mi-claire – le quartier de Treichville étend ses tentacules, rampe et s'incruste à la terre battue du sol. Tout le contraire du Plateau, Treichville c'est le ghetto, les taudis, la foule dans les ruelles, le quartier traditionnel du délire, le royaume de la nuit, la fête pourrie, là où tout est permis. Je crois entendre le reggae dans les bars, et les voix cassées des prostituées racolant sur les trottoirs...

*

Je me suis acheté un bon paquet d'herbe aujourd'hui. Elle est servie dans une page déchirée du journal *L'Équipe* sur laquelle je peux lire un bout de compte rendu relatant une belle victoire du Paris Saint-Germain en Coupe d'Europe. C'est bien. Un petit bonheur dans un vieux souvenir.

À Abidjan, je supporte aussi l'ASEC de mon ami Traoré Abdoulaye, l'avant-centre des Éléphants. L'ASEC joue bientôt contre l'Africa pour le match de l'année. Je ne raterai pas cet événement, c'est sûr. Cette seule pensée me réjouit. Je roule un gros joint pourri. Je suis moi aussi un peu pourri, peut-être même beaucoup. De ma verrière sud j'aperçois Treichville, là-bas, en bas... La fumée emplit mes poumons, passe dans mon sang et brise ma tête, me précipite à genoux, cassé en deux. Surpuissante est la force de la drogue que j'inhale ! Elle vient du Ghana voisin, un petit pays qui ne vaut rien, seulement reconnu pour sa marijuana, justement, ses footballeurs, également, et ses putains. Voilà pour les richesses fondamentales du pays. Un grand merci aux Ghanéens car je suis bien, je plane. J'ai beau chercher en moi, je ne ressens aucun désir de gerber. La défonce monte en moi à la vitesse d'une balle, elle me percute des pieds au front. Je reste à genoux – cette position est idéale ! une main plaquée contre la vitre me maintient à peu près en équilibre. De l'autre, je touche le sol frais de « New York », je baisse la tête, et la redresse par à-coups, mon cou est mou, long, indépendant, mutant, c'est doux...

\*

Le bruit de la clef dans la serrure de la porte. René revient de sa course en sifflotant vaguement, les bras embarrassés de deux pots de lait, de quelques morceaux de pain. Je suis prostré, déformé comme un caramel au soleil, dans une attitude improbable, le nez collé au carreau. René ne dit rien, rien ne le choque particulièrement, il a l'esprit ouvert et connaît mes errances. Il ne fume pas, ni drogue, ni tabac d'ailleurs, mais mon comportement délabré ne l'intrigue pas, René n'ignore pas les effets de l'herbe. Il pose ses paquets. Engage la conversation :

– Viens manger, me dit-il simplement.

Je me relève et m'effondre dans un fauteuil.

– Il n'y a personne dans la rue, commence-t-il, désabusé, le Plateau un no man's land.

– Ça t'étonne ? C'est comme tous les dimanches, n'est-ce pas...

– Je n'arriverai jamais à m'y faire, soupire-t-il.

– Oui, je sais, quel contraste avec le bourdonnement de la semaine !

– Le choc est lourd !

– Allons ! tu es trop sensible René ! Il y a un poète en toi ! dis-je en riant, somme toute moqueur.

René me jette un coup d'œil vide, se penche sur son en-cas, trempe son pain dans le lait, et mange comme un enfant concentré sur sa soupe.

Le dimanche, le Plateau est désert, pas un bruit, silence, un mois d'août à Paris. Sinistre, comme un vieux décor sur un plateau de tournage désaffecté. Les employés des bureaux, les gratte-papier des ministères habitent les lointaines banlieues, Vridi, Abobo ou Yopougon. Le week-end, leur absence pèse lourd dans l'animation du quartier. Les rideaux de fer des commerces sont tous tirés, pas de petits vendeurs non plus, car, bien sûr, il n'y a pas de clients.

Les rares immeubles d'habitation, dont notre tour,

n'abritent pas des familles, mais des têtes de pont de sociétés plus ou moins fictives, des pseudo-cabinets d'avocats marrons, de notaires menteurs ou d'attachés commerciaux free-lance et magouilleurs. Le samedi et le dimanche ils sont absents, eux aussi. Quelques Mercedes rutilantes, dernier cri, à injection électronique – on se demande bien ce qu'elles foutent là – reposent sur des parkings surveillés par des gardiens burkinabé payés comme des esclaves d'un abri pour leur famille, d'un peu de nourriture. Équipés de simili-matraques de bois mité, ils ne feraient pas de mal à une mouche, et sommeillent, écrasés par la moiteur de midi. Ils sont la seule présence humaine.

Même le marché est endormi, vidé de toute activité – les mendiants sont rentrés – à l'abandon des mouches qui se régalent des ordures, des restes et des pelures. La vie s'est arrêtée, figée dans un béton mal armé.

René a terminé son bol de lait caillé, il le lèche consciencieusement. René adore le lait caillé. Il part se coucher, mon partenaire est un adepte de la sieste.


*


Que les choses soient claires, nous ne sommes pas des honnêtes gens, nous sommes des trafiqueurs, autrement dit des gars qui magouillent salement pour de l'argent, des bandits, pourquoi le nier, des voyous, des outlaws sûrement. Nous assumons. Et que personne ne vienne nous faire chier, ou ne nous reproche quoi que ce soit. Nous vivons dans un monde parallèle, une twilight zone. Nous opérons comme des fourmis. Des antennes nous ont poussé sur la tête. Organisation, méthode. Toujours dans l'urgence, pour satisfaire le besoin pressé de partir de nos clients.

Saint-Ange avait raison, Saint-Ange est un visionnaire, que dis-je un visionnaire, un prophète oui, un ami, un vrai ! Les papiers se vendent, trop bien même. Nous lui versons son écot sans jamais ciller, toujours réglo, à la confiance Saint-Ange !

Après des débuts tâtonnants, le temps de s'adapter et d'assimiler les données du business, bref de se former, je me suis bien organisé avec René.

Je fournis les cachets, les formulaires, les signatures, etc. Je m'occupe de corruption, de concussion, je vole, je mens, j'extorque. Je fais le siège des ambassades où je m'incruste, traîne dans les couloirs, me prostitue – hétérosexuellement je donne ma bite, pas mon cul –, me mêle au personnel, déguisé ou pas. Un vrai boulot d'agent secret ou d'acteur. La réalité est moins marrante.

D'autre part, j'achète des passeports de tous les pays – je n'ai guère l'occasion d'acheter autre chose que des passeports africains – et des noms par la même occasion. Nous vendons aussi des noms. Pour ceux qui désirent changer d'identité. J'achète souvent leurs papiers aux drogués. Les drogués se débarrassent volontiers de leur passeport ou de leur carte d'identité, pour pas grand-chose, une dose, je leur en paie deux. Il faut savoir être généreux dans la vie. Je possède aussi des passeports de pays inconnus, que l'on cherche des heures sur la carte, comme la Guinée équatoriale, la Gambie, le Malawi... Voilà, en résumé, mon activité.

René, lui, rabat la clientèle et nous constitue des réseaux. Il attire des particuliers qu'il récolte dans la rue, dans les maquis, au marché ou à l'université par exemple. René s'est fait une petite spécialité dans le domaine des « Cambodgiens », les faux étudiants, qu'il recrute là où ils sont le plus nombreux, sur le campus de Yopougon. Dans une obsession, ces derniers ne pensent qu'à une seule chose : poursuivre un brillant cursus à la Sorbonne ou à Nanterre, en fonction des matières de leur choix. On les retrouvera plus tard, avocats, professeurs de lettres modernes, diplomates ou traînant dans le métro, à la station Étienne-Marcel, vendant du crack dans les couloirs.

René ratisse large. Il a d'autres points d'ancrage, dans sa communauté en particulier, où deux vagues cousins à lui sont ses commissionnaires spéciaux. Comme je peux le constater au quotidien, dans l'exercice de notre profession, l'organisation de René tient la route. René fait le métier, dirait-on dans notre jargon, efficace, sans états d'âme.

Sur Radio-Trottoir, René est un type important. Les gens se passent le mot. On s'échange l'adresse des QG de René, comme une fille donne à sa copine l'adresse d'un médecin pratiquant l'IVG clandestine, ou distribuant des ordonnances falsifiées mine de rien. Trouver René n'est pas toujours chose facile, aussi, pour un tuyau, chacun se sert. Le maître mot ici : la commission, la « bière ».

En gros, je suis la matière première, René le service commercial.

Nous fournissons donc visas et passeports surtout, cartes d'identité, certificats scolaires, permis de conduire, moins souvent. Nous avons d'ailleurs décidé de stopper le commerce des permis de conduire, c'est du petit business, nous gagnons bien assez d'argent. En effet, temps de misère, époque de merde, les candidats à l'exil sont légion. Ils fuient. Par tous les moyens. Ils sont prêts à payer. On nous propose aujourd'hui plus d'argent que nous ne pouvons en recevoir. C'est hallucinant ! Si nous avons arrêté le commerce de certaines pièces, les permis de conduire par exemple nous l'avons vu, il nous arrive maintenant de sélectionner les dossiers ! d'en éliminer certains, ceux qui nous paraissent les moins rentables, ou les plus compliqués. Les gens émigrent par 1 000, par 10 000, par 100 000, demain par millions. Les pays riches, l'Europe, l'Amérique, destinations de leurs convoitises, tentent de contrer le phénomène, objet de phobies chez eux, ils votent des lois draconiennes limitant l'immigration autorisée à zéro. D'ici, par le truchement complaisant des ambassades, des consulats, nous trichons les lois de là-bas, nous les contournons, sans trop de mal jusqu'à présent. On se débrouille...

Trafiquer, finalement, c'est un boulot comme un autre. Un peu speed peut-être. Mais quel boulot ne l'est pas ? Je ne vois que le travail du poète pour n'être que douceur, calme et volupté. Oui, dans une autre vie je serai poète et j'écrirai des vers, des rimes nouvelles, de la prose éternelle... Mais je m'emporte, trafiqueur, après tout, je suis aussi témoin de mon temps. Un temps blessé, cassé, injuste, où la valeur d'un homme se définit par la qualité de sa carte d'identité, de son passeport.

Nous nous devons d'être très organisés et tout entier concentrés sur notre sujet. Il ne s'agit pas de faire les rigolos. Avec René, nous avons instauré un système qui permet de parer nos oublis, nos trous de mémoire, nos fautes éventuelles : nous nous disons tout, avec précision, comme mari et femme, parents et enfants. Une pièce de dossier manquante à l'un, une imprécision dans le montage ou la réflexion, l'autre le remarque aussitôt, relève un détail, pose une question. Très souvent, nous sommes en réunion, René et moi. Nous faisons le point. Nous marchons en duo et nous nous répartissons les tâches. Nous sommes partners, Mel Gibson, Danny Glover. Nous bouclons les dossiers :

– Nom, prénom ?

– Kouamé Aka, me répond René d'une voix mécanique.

J'enchaîne et ainsi de suite :

– Nationalité ?

– Ivoirienne.

– Destination ?

– France.

– Passeport ?

– Vrai.

– Certificat d'hébergement ?

– Au nom de monsieur Répellini Pierre, demeurant 50, rue d'Avron, 75020 Paris.

– Visa ?

– Touristique, valable six semaines, OK.

– Garantie bancaire ?

– 5 000 francs français, OK.

– Dossier complet ?

– À fond, conclut René.

– Nom, prénom ?

– Dadié, Honorine.

– Nationalité ?

– Ivoirienne.

– Destination ?

– France.

– Passeport ?

– Trafiqué.

– Montre, dis-je à René.

Il me tend la pièce, les pages sont parfaitement encollées ; fronçant les sourcils, je joue le rôle du douanier, je retourne le passeport dans tous les sens, je l'examine soigneusement. Je le rends à mon associé.

– OK, c'est bon. Certificat d'hébergement ?

– Au nom de monsieur Garella, Benoît, demeurant 7, rue de la Paix, 93260 Les Lilas.

– Visa ?

– Touristique, valable six semaines, OK.

– Garantie bancaire ?

– En cours.

– Et merde ! faut faire vite sinon son visa va expirer avant même d'avoir pu être utilisé.

– Je m'en occupe demain, me rassure René.

– Dossier à compléter donc ?

– Ouais, ouais, me répond René, ce sera fait dans la semaine, pas de problème.

– Elle a payé tout ce qu'elle nous doit ?

– Elle solde son compte la prochaine fois.

Je note mentalement. Nous enchaînons :

– Nom, prénom ?

– Kabongo, Eugène.

– Nationalité ?

– Zaïroise.

– Destination ?

– Belgique.

– Passeport ?

– Vrai.

– Certificat d'hébergement ?

– Au nom de monsieur Planckaert, Walter, demeurant 14, avenue Léopold-Ier, Bruxelles.

– Visa ?

– Étudiant, valable huit mois.

– Mais dis-moi René, Kabongo c'est pas le mec marrant qui passe de l'herbe par cinquantaines de kilos planquées dans du poisson séché ?

– Ouais, c'est lui.

– Putain ! il est gonflé, ajouté-je en sifflant d'admiration.

– Bon, je continue, garantie bancaire ?

– Inutile pour la Belgique.

– Dossier complet ?

– À fond, me dit René, je crois qu'il est pressé de se casser, on l'attend là-bas, rigole mon partenaire.

– Tu m'étonnes, avec toute cette gandja !

– Nom, prénom ?

– Sekana, Diaby.

– Nationalité ?

– Malienne...

Et ainsi de suite, deux ou trois heures durant, voire plus, sans discontinuer, nous finissons de préparer les passeports de nos clients. C'est fastidieux, certainement, incontournable de toute façon.

Le métier de trafiqueur, dans un cas comme dans l'autre, pour René comme pour moi, c'est de la bureaucratie, de la paperasserie, mais aussi de l'action, de l'astuce, de la discussion, de la chance, de la pression, du lobbying dirait-on, de l'argent qui change de mains au bon moment.

Et plus Abidjan s'effondre, plus les gens sont là, chez nous, nous les artisans du départ, à nous donner leurs sous. Alors nous restons. Nous pourrions partir. Faire comme tout le monde. Nous envoler, plonger. Quitter le navire. Il prend l'eau. Mais franchement, pour aller où ?

Nous doutons souvent, écorchés par deux démons : la fuite, une nouvelle fois, et l'appât du gain. L'appât du gain nous tire atrocement sur les couilles, une douleur à s'en cogner la tête contre les murs, une douleur néphrétique, dorsale, dentaire, de haine envers nous-mêmes.

Tous ces hommes et toutes ces femmes qui nous supplient de nous occuper de leurs affaires, de les aider dans leurs papiers, qui nous proposent pratiquement leur vie en échange – certains, au bout du rouleau, nous prient littéralement de les sauver –, c'est étouffant, oppressant, contagieux.

Il y a une dizaine de jours, René a piqué une crise de paranoïa, lui si tranquille d'ordinaire. Il est sorti de lui à cent à l'heure, un film d'horreur, ses membres ont commencé à tressauter, la peau noire de son visage est devenue rouge carmin, deux veines se sont tendues sur son cou, ses yeux ont enflé, à en être trop gros pour leurs orbites, il s'est chié dessus, de la vraie chiasse, ocre, qui tache et sent. René s'est transformé en une espèce de monstre incontrôlable animé de gestes aberrants. Aïssa, notre petite bonne muette, était paralysée de terreur, incapable de bouger ni de faire un mouvement, je l'ai prise par le bras et l'ai enfermée dans la cuisine. Elle a geint et pleuré pendant toute la scène.

– Il faut se tirer d'ici ! hurlait René, il faut se casser ! Amidou, tu comprends, me disait-il, on doit se casser ! se casser vite fait ! partir, partir loin d'ici !

René courait dans la pièce, s'écrasait contre les murs. À un moment, j'ai bien cru qu'il allait sauter par la fenêtre, passer à travers la verrière.

Je devenais dingue, moi aussi. Je gueulais plus fort que lui :

– Mais pour aller où, René ? pour aller où ? dis-moi, c'est toujours la même question, au moins on ramasse du fric ici.

Je l'ai attrapé comme Aïssa tout à l'heure et l'ai plaqué contre le mur pour le calmer. J'ai senti dans mes mains la maigreur quasi maladive de René. De son côté, dans la cuisine, la petite continuait de pleurer à moitié. Je lui ai ordonné de se taire. « Ferme ta gueule de petite salope ! » me suis-je laissé aller à l'insulter ; je ne supportais plus ses gémissements atroces de muette, comme ceux d'un petit rat blessé.

Tout à coup, René a tout laissé tomber, il s'est laissé glisser mollement par terre, il s'était épuisé en gesticulations, en coups de pied et de poing dans les portes et manquait de forces. Il s'est excusé en bredouillant, tout tremblant, dégoulinant, la chemise en désordre. De la bave lui coulait du menton.

– Je suis malade, cette ambiance me rend malade... Amidou, j'en peux plus, a-t-il bafouillé en conclusion.

Je l'ai pris dans mes bras, je lui ai caressé la tête avec douceur, il s'est abandonné en sanglotant. Psychodrame dans la maison. Enfin, après lui avoir fait faire un petit tour par les cabinets – il s'est torché –, je l'ai accompagné jusqu'à sa chambre où il s'est enfermé. Et qu'il récupère de sa crise ! René a dû s'endormir comme une masse.

Il n'est réapparu que le lendemain soir, tout pâteux, l'œil hépatique, encore tremblotant. Pour rigoler, je lui ai conseillé d'avaler quelques tranquillisants. René n'a pas très bien pris ce qui n'était pour moi qu'une boutade. Il m'a jeté un regard hargneux, son air était bizarre. Je m'en suis un peu voulu de ma mauvaise blague.

*

38

Il faut dire, pour le comprendre, que René n'a pas été épargné par la vie. Il eut pourtant une enfance puis une adolescence heureuses et sans histoires. René est congolais, lari, il a vu le jour dans le quartier de Makélékélé, un faubourg populaire de Brazzaville longeant le Djoué, où il a grandi, en harmonie, avec ses sœurs, ses frères et ses parents. René est issu d'un milieu de fonctionnaires qui aurait été qualifié de petit-bourgeois si le Congo n'avait pas été assigné à Moscou. À cette époque en effet, la collaboration URSS-Congo marchait à bloc. Les Communistes offrent des écoles, des hôpitaux, des salles des fêtes gigantesques, des statues de Staline et de Castro soviétiquement réalistes (les Russes en ont des paquets en stock), une École Supérieure du Parti qui ressemble à un Spoutnik. Elle est en ruine aujourd'hui, mais elle existe encore, on la visite comme une relique. Le Parti Congolais Ouvrier du Travail et ses Jeunesses dirigent le pays, l'Association des Femmes Révolutionnaires a le droit de cité et se réunit en Congrès. Bref, prolétarien, le Congo est une République Populaire. Les Congolais font de leur mieux pour plaire au grand frère socialiste, ils envoient leurs meilleurs étudiants se cailler les couilles dans les universités de Leningrad et de Vladivostok. Là-bas, ils subissent une formation de médecin en deux petites années. Une année pour s'initier au russe. Une année pour apprendre à charcuter. Et, de retour au pays, deviennent de véritables dangers publics diplômés. Les villageois sont terrorisés par ces ersatz de docteur.

Dans un autre ordre d'idées, René a un exemple édifiant de bonne volonté socialiste dans sa famille : zélé et enthousiaste, un de ses oncles, Tonton N'goma, prénomme son fils aîné Brejnev. Brejnev N'goma, pauvre gosse ! L'anecdote est authentique.

Le jeune René, lui, fait son chemin, il est assidu à l'école, sage, obéissant, pas compliqué, un bon petit. Il ne cherche pas autre chose que ce qu'on lui donne. Plus tard, après des années d'efforts et d'études, René possède un métier, fruit d'une scolarité correcte, d'une bonne éducation, il est professeur de collège en sciences naturelles, pour les élèves de la 6e à la 3e.

Nous sommes dans les années 75, le Congo est indépendant, marxiste, dogmatique, coupé en deux, et il regarde son grand cousin de Kinshasa, en face – là même où Patrice Lumumba a été assassiné, de l'autre côté du fleuve –, avec des yeux de guerre froide. « *Ozali malamou. Sango nini ? Sango té* [1]. » C'est l'ère du Grand Zaïko, de Maître Franco, de Tabu Ley-Rochereau, la rumba commence à secouer les hanches et la Primus à couler, « *bisengo ya mokili* », le Congo s'éveille lentement.

\*

Dans le même temps, la Côte-d'Ivoire flambe et vit ses années folles. L'argent du café, du cacao, les deux seuls produits de base sur lesquels le pays a misé, coule à flots. C'est l'époque de la Côte-d'Ivoire exemple de réussite pour l'humanité. Ses protecteurs en Occident applaudissent des pieds et des mains, se cognent la tête contre la porte des chiottes, ils s'ébaudissent devant un tel succès, auquel ils ont participé pleinement. Des coupes de champagne sont trinquées dans les salons, des

---

1. *Sango nini, sango té* : « Quelles nouvelles ? Pas de nouvelles... » (lingala).

ministres, des gouvernements se réjouissent, se congratulent, s'embrassent. Dans les journaux français intègres et bien documentés, les courbes, les statistiques, les rapports d'experts témoignent du bon comportement de la Côte-d'Ivoire, de son asservissement en fait.

Nouveaux riches, les Ivoiriens consomment tous azimuts, femmes, voitures, voyages, tout y passe. Ils font de nombreux enfants, et entretiennent plusieurs foyers. Bref, ils claquent leur pognon. Pour seuls investissements, ils bâtissent à la hâte un beau réseau routier pour faire classe et se balader en liberté dans de belles bagnoles, le quartier du Plateau à Abidjan (entièrement construit en moins de deux ans !), un pont et c'est tout. Ah non ! j'oubliais, les Ivoiriens installent une deuxième chaîne de télévision sur leur réseau, une première pour l'Afrique de l'époque.

La Côte-d'Ivoire vit dans l'insouciance, ses citoyens sont des papillons le matin. Mais le boom économique soudain révèle les faiblesses structurelles du pays, entre autres un manque cruel d'ingénieurs, de techniciens, de professeurs, pour faire tourner les écoles, les entreprises nouvelles, les industries. Bien entendu, les Français, sous le nom digne de « coopérants », reviennent aussitôt à la charge de la colonisation. Ils font leur marché, montent des affaires dont ils retirent de gros bénéfices, ils signent des contrats juteux avec le pouvoir en place, tout à leur avantage, ils s'emparent d'une bonne part du butin. Ils se servent les premiers, à grosses poignées. Une bonne vieille habitude.

Avec des économies réunies en quelques mois, les Ivoiriens construisent ou refont leur maison à neuf. Nantis maintenant, ils ont besoin de gens de service pour leur faire la vie facile, d'ouvriers pour leurs chantiers.

Ils importent massivement des serviteurs, repasseuses, bonnes à tout faire, aides ménagères, manœuvres, hommes, femmes ou enfants de la Guinée et du Burkina Faso voisins. Ces immigrés sont pour la plupart des villageois incultes et analphabètes, des broussards, faciles à surexploiter, boucs émissaires dans les difficultés.

Dans un accès d'optimisme incontrôlé, le Président du Parlement de l'époque – comment s'appelait-il déjà ? – ouvre toutes grandes les frontières du pays. La Côte-d'Ivoire devient terre d'immigration pour ses voisins. Triste retour de bal à l'heure actuelle, même si nos clients ne sont pas tous ivoiriens.

Oui, les immigrés d'hier, bénis à leur arrivée dans le pays, venus supporter la Côte-d'Ivoire dans sa réussite, partent aujourd'hui. Ce sont peut-être les plus impatients. Il est vrai que les lynchages collectifs, de Ghanéens dernièrement, sont de plus en plus fréquents.

Pourtant des familles entières ont afflué ici, Eldorado ! Californie ! venues de tous les coins d'Afrique. Un vrai western et des aventuriers, des tricheurs se sont glissés parmi les honnêtes gens.

*

René ne débarque pas en Côte-d'Ivoire pour trafiquer, voler, profiter ou détourner, c'est bien là peut-être son drame, René n'est ni un escroc ni un maraudeur, il vient pour enseigner.

Il s'est tiré du Congo, où il se faisait trop chier.

Loin de sa Brazzaville natale où il comptait continuer de vivre en paix, René est nommé instituteur stagiaire – « instituteur stagiaire » vous rendez-vous compte ? un professeur de sciences naturelles ! – à Ouesso, dans le

Nord, chez une autre population que la sienne, dont il ne comprend pas la langue, sans eau et sans électricité. René croupit. Il dort dans l'école, une bicoque de brousse trouée. La nuit, les serpents se glissent sous son lit, les moustiques lui bouffent le nez, les araignées lui piquent les pieds.

Toute la sainte journée, René se casse la tête à faire la classe à une bande de chenapans dont la vitalité, l'énergie, la force, l'indiscipline feraient renoncer n'importe quel adjudant. Pendant la classe, dispensée à l'ombre d'un grand fromager – il y fait plus frais que dans l'école –, René se fait tirer dessus au lance-pierres. Il n'obtient rien de garnements pour lesquels lire et écrire ne sont que des vues de l'esprit. Les gamins préfèrent, et de loin, s'amuser en brousse, pêcher, chasser, on les comprend. Rien de pire que l'école. René n'a pas d'autorité. Sans femme, sans amis pour le soutenir, il se décourage. De plus, le chef du village ne l'a pas à la bonne, il voit d'un mauvais œil ce parachuté, ce citadin, et lui oppose la tradition à l'Éducation nationale.

Ce martyre va de pair avec un salaire ridicule, sans aucun avantage, qui permet tout juste à René de ne pas crever de faim. Affreux. Surtout si l'on songe au prétexte politique qui justifie cette décentralisation des élites : les intellectuels aux champs ! Premièrement, à Ouesso, il n'y a pas de champs mais la jungle, deuxièmement, René n'est même pas un intellectuel, il n'est qu'un petit professeur de collège, humble, modeste et effacé. Il n'écrit pas de poèmes ou de pamphlets d'opposition, loin de lui l'ombre d'une telle idée.

Au bout de huit mois, René jette l'éponge. Malade, il vomit ses tripes tous les matins, une fièvre tenace le cloue sur sa paillasse. Les sorciers du quartier l'ont bien marabouté ! Il se rapatrie sur Brazzaville, pratiquement à quatre pattes. Il a maigri de dix kilos, les os de son visage sont saillants, ses côtes en arêtes percent pratiquement sa peau. Il fait vraiment de la peine. Grillé dans l'Administration à cause de sa désertion, qualifiée de néocapitaliste et d'antirévolutionnaire, dégoûté de toute façon par son pays, il décide de le quitter – en l'insultant – pour la Côte-d'Ivoire, dont des amis lui ont vanté les mérites.

René part l'âme en bandoulière, le cœur léger. Jamais au revoir ne fut aussi joyeux. À Brazzaville quelque temps, et en prévision de son départ, René s'est reposé dans sa famille, soigné, il s'est refait une santé et un moral tout neuf, d'acier. Régénéré, René s'investit d'un esprit pionnier, il vient affronter son Missouri, ses Rocheuses, sa muraille de Chine, il est Clark, il est Lewis, Marco Polo, Colomb, tout en même temps ! René tourne une page moisie de sa vie. Croit-il.

René veut faire de l'argent, être riche lui aussi, avoir des femmes et des enfants, une grande maison, et retourner un jour au Congo, comme un enfant prodige. Fortune and Glory... Oui, c'est simple, un rêve. Une mission.

René a bien vu. La richesse et les plus-values aidant, les écoles privées se multiplient à Abidjan, elles pullulent comme les boutons de la varicelle sur les joues d'un enfant, certes spontanées dans leur éclosion, mais – attention ! – fragiles, friables à la moindre dépression, elles peuvent disparaître très vite. Il reste que, tous calculs faits, un collège, comme une clinique par exemple, est toujours un bon investissement, rentable à court, moyen et long terme.

C'est le chic en ces moments de légèreté pour les

enfants des riches Ivoiriens de fréquenter les écoles confessionnelles. Comme dans une culpabilité pour les parents qui leur ouvrirait, déjà, la voie de la rédemption. Une prophétie.

René trouve donc sans problème une affectation, à mi-temps, dans une institution catholique, Sainte-Marie-de-la-Vierge-de-Dieu, un nom comme ça, si je me souviens bien. René est heureux. Il dispense ses cours à des endormis cette fois-ci, et ne s'en plaint pas. Pas bousculé René, des classes à effectifs légers, donc des paquets acceptables de copies à corriger, il ne travaille pas trop. À cette époque, René n'est pas un bourreau de boulot, il faut le dire, son zèle atteint vite ses limites, sieste obligatoire. René dort beaucoup sur ses nouveaux lauriers.

À chaque fin de mois, sans aucune galère, au jour et à l'heure dite, René touche son salaire. Il connaît même le bonheur d'être augmenté. Il garde précieusement toutes ses fiches de paye dont il est fort fier, elles sont les garantes de sa réussite sociale, de sa bonne intégration.

*

Déjà, au début des années 80, le surrégime se fait très vite sentir en Côte-d'Ivoire.

Une cohorte de malheurs s'abat sur le pays. Ces malheurs sont incomparablement plus puissants que les petits bonheurs de consommation et de confort dont les Ivoiriens ont profité ces années-là.

Le premier choc du cacao et du café amorce la chute. Les cours s'effondrent et avec eux les seuls revenus du pays. Foudroyés, les deux produits s'écroulent, victimes de la spéculation, de l'inconscience financière des partenaires, des mensonges et des pots-de-vin chez les banques, du gaspillage sous toutes ses formes. Une surproduction catastrophique découlant d'une gestion anarchique et le tour est joué ! Retour à la case départ. Un effet boomerang quand la lame, échappant par sa vitesse à la main du lanceur, vient lui ouvrir la gueule en deux. Jaillissent alors le sang et les larmes.

Encouragés, poussés par des diablotins qui ne leur voulaient que du bien – des vendeurs internationaux sans scrupules, des multinationales comparables à des chiennes, des États vampires intéressés dans les bénéfices immédiats et liquides –, les Ivoiriens vivaient bien au-dessus de leurs moyens. Classique fuite en avant. Quand on traîne après soi des restes d'étrons collés, on a des chances de bien puer la merde pendant un bon bout de temps.

Pas de pays au monde qui ne regorge de cacao et de café. Partout les stocks suffisent pour des dizaines d'années, et bientôt des produits chimiques – meilleur marché, de conservation plus facile – leur sont substitués. Malgré l'ardeur, souvent maladroite, de leur Président – de coups de gueule en coups de gueule il ferraille sans cesse contre les Grandes Puissances Occidentales –, les Bourses de Francfort, de Paris, de Londres, de Tōkyō ou de New York font la pluie et le beau temps. Elles spéculent à la baisse sur le cacao et le café, sans se préoccuper le moins du monde des problèmes que leur actionnariat sauvage soulève dans les pays producteurs.

La Côte-d'Ivoire, la tête la première sur le pavé.

Les répercussions sur la société sont automatiques. Le chômage anéantit la grande majorité de la population. Et plus particulièrement les cultivateurs qui engraissaient, en dormant le plus souvent, sur les gains des grains et des fèves. Et ils étaient nombreux. L'agriculture est paupérisée, puis tout simplement ruinée. La Côte-d'Ivoire étant un pays essentiellement rural, on assiste à la pire des réactions en chaîne. Tout le monde est touché, de plein fouet.

En très peu de temps, tout ferme. Usines, entreprises, bureaux, chantiers, affaires, et, bien sûr, faute soudain de clients pour les payer, la plupart de ces fameuses écoles privées, et plus ou moins bidon. Sainte-Marie-de-la-Vierge-de-Dieu met la clef sous la porte et part en courant. Conséquence pratique évidente : René perd son boulot.

Il se retourne d'un coup et cherche à s'incruster dans l'Administration. Après avoir essayé de proposer ses services au lycée français, d'où il se fait tout de suite bouter sans même rencontrer le directeur du personnel, René tente de se faire une petite place dans l'École nationale ivoirienne. Mais stop. Un décret, aussitôt, interdit aux étrangers de postuler quelque responsabilité que ce soit dans la fonction publique. Les mots d'ordre changent. Hier, on demandait des immigrés, aujourd'hui le travail – le peu de travail en fait – se trouve désormais réservé aux nationaux. Congolais, René est écarté.

Boum ! Allez, un René sur le carreau ! au banc des remplaçants, sans congés, sans indemnités, rayé de la liste, jeté comme un malfaisant, spolié.

René ne s'en fait pas pour autant. Plus de travail ? Eh bien, vacances ! balades et boîtes de nuit, salopes, bonnes bouffes, beuveries, week-ends, sorties !

René vit sur ses économies, et dépense, dépense, dépense sans compter.

Les jours passent ainsi, les semaines aussi, et les mois...
Enfin, très vite en vérité, comme la cigale, il se retrouve
fauché. René ouvre les yeux, il se rend compte de la
situation. Panique. Sur les conseils d'un ex-collègue qu'il
fréquentait plus ou moins dans son lycée, il investit
précipitamment le reste de son pécule dans une entreprise
parallèle – déjà ! – de Bibles et d'ouvrages ésotériques
dont les sociétés en décadence sont friandes. Sainte-
Marie-de-la-Mère-de-Dieu, saint Paul, Luc, Marc,
machin, truc ou bidule, René est à l'aise sur le terrain.
Il trouve d'ailleurs dans cette continuité, le business
religieux, un motif d'encouragement pour son avenir.
René a toujours aimé se spécialiser dans un domaine,
c'est un esprit carré. René met la main à la pâte dans
un accès de zèle du style : « le travail construit l'homme »
ou « l'effort est toujours récompensé », ou encore « donne-
toi du mal et tu seras gratifié », issu de restes de son
éducation. Dans un retournement psychologique, il ne
ménage plus ses efforts. Il travaille pour lui.
René vend ses Bibles au porte-à-porte. Pour mieux
écouler ses produits, René commente les pages sacrées,
de la naissance du monde à Sodome et Gomorrhe. Le
Nouveau Testament et l'Ancien, il les connaît par cœur,
il renchérit sur Jésus, les apôtres et leurs potes. René
sillonne les quartiers chrétiens, branche les Blancs, tapine
sur les marchés et camelote aussi :
– Achetez ma Bible ! la meilleure Bible du siècle !
Lisez la Sainte Bible de l'Homme et trouvez le Pardon.
Achetez ma Bible, reliée pur cuir, toutes les images sont
en couleur ! 2 000 francs seulement ! La Bible ! la Bible !
la meilleure Bible du siècle ! Lisez la Bible et vous serez
sauvés ! Achetez ma Bible, la meilleure Bible !...
René est convaincant, il fait chevroter sa voix, il

colporte Dieu dans les quartiers. René s'enfonce dans les ruelles. Contre un peu d'argent, un artiste réaliste de ses copains lui a filé un coup de main pour l'aider à fabriquer un panneau peint sur lequel René est représenté brandissant un Texte Sacré. Sur cette pancarte est inscrit en gros et en rouge : VENDEUR DE BIBLES EXTRA. PAS CHER. 2 000 FRANCS SEULEMENT. L'œuvre est assez réussie. René fait l'homme-sandwich, ses Bibles dans deux besaces militaires de récupération, une pour chaque épaule.

René parcourt Abidjan et repousse toujours les limites de la ville, il prend tous les bus, tous les taximen sont ses amis, il connaît toutes les rues sans nom. Il fonce tête en avant, il ne se gêne pas pour pénétrer dans les cuisines des maisons afin de décider les ménagères... Hélas ! malgré son ardeur, sa réelle force de vente qui ne demande qu'à s'épanouir – c'est dur mais René fait de son mieux –, l'affaire capote. René est trahi par son associé qui se tire salement avec la caisse. René fait faillite, une faillite personnelle. Seules lui restent – souvenir, *cadeau* comme on dit ici – 2 500 Bibles démodées sur les bras. Avec le business, René n'a pas la chance pour lui. Décidément.

René est coincé, les deux pieds fondus dans le ciment, planté. Trop fauché, il ne peut même plus rentrer au pays – certes honteux, mais vivant – se réfugier chez ses vieux parents.

Dernier chou blanc. Pour se refaire, René trempe dans une affaire d'oreillers et de coussins sur catalogue et par correspondance... N'importe quoi. Il est à peine engagé dans cette histoire que le commanditaire a déjà disparu, la boîte s'est effondrée laissant quelques dettes : téléphone, du crédit chez les commerçants et au super-marché, de menus emprunts (heureusement)... Tant bien que mal, René rembourse les créanciers.

Ex-bon gars, plein d'espoir et de sérénité, ex-diplômé, ex-professeur de sciences naturelles au lycée, ex-vendeur de Bibles, de coussins et d'oreillers, ex-riche devenu pauvre en moins de temps qu'il ne faut pour le dire, ex-Lari, ex-Congolais, paumé, largué, abattu, KO debout, groggy, aujourd'hui René est un ex-tout.

Ex-tout dans le monde de la vertu et des vivants, René, oui, mais trafiqueur-associé dans celui de la merde. Quand Saint-Ange m'a branché sur ce plan de papiers, j'ai aussitôt pensé à René comme équipier. Nous nous relayons dans les difficultés, nous franchissons les obstacles, il mène le train, je lui donne ma roue, et inversement. Nous nous complétons, l'un grimpe, l'autre sprinte, les deux roulent et tiennent le coup. Une charnière centrale hermétique, Ricardo-Roche. Nous jouons la couverture alternée, sans libero. Je ne déteste rien de plus qu'un libero à la con évoluant vingt mètres derrière la ligne de ses défenseurs.

Dans mon entourage immédiat, seul René avait les qualités requises pour m'épauler. Il me fallait quelqu'un de discret, d'efficace, de courageux aussi et de mobile, mais surtout un homme coupé de toute valeur et proche de l'instinct de survie. Point par point, René répond à cette description. Au stade où il en est, René est prêt à tout. Il s'en fout.

René Mwanga partage donc mon business – il n'y a pas de chef entre nous, pas de hiérarchie, nous sommes simplement des collaborateurs – et « New York » par la même occasion. C'est lui, d'ailleurs, qui a récupéré l'appartement. J'en reparlerai.

Nous habitons ensemble, sans qu'il n'y ait aucune forme d'homosexualité entre nous. Même si, aux regards de certains, nous donnons l'impression d'être un vieux couple. Non, René est simplement mon compagnon. Je peux tout lui confier, lui ouvrir mon cœur vraiment. René réfléchit, entend. Il est présent. Il sait qui je suis, et moi, je le connais. Nous sommes très proches, la vie de l'un n'a pas, *a priori,* de secret pour l'autre. Nous sommes ensemble dans le business et nous vivons dans le même endroit, aussi l'un influence l'autre, et vice versa. Nous sommes jumeaux, siamois.

Nous avons chacun notre chambre. Nous sommes autonomes, indépendants dans la maison. Nous ne nous marchons pas dessus. Il faut dire que nous bénéficions d'un maximum d'espace de vie, ici à « New York ».

René est mon ami comme les garçons ont des potes, et les filles des copines. Quand la famille est loin, je crois aux amitiés fidèles, à la communication parfaite des consciences – j'en ai besoin – à l'entente spirituelle et sympathique des esprits. Dans la tradition, René peut être mon frère ou mon cousin. De plus, notre amitié, à René et à moi, débouche sur une action concrète et accomplie, sur un business bien réussi.

Physiquement, René est un gars d'apparence normale. Sa tête est un peu grosse sur ses épaules fines. Il est relativement maigre, un poids léger. Le visage avenant de René, ce sont surtout ses deux grands yeux un peu tristes. Sa voix est calme et douce, du charme, elle est utile dans les négociations. René passe partout et porte avec aisance la barbe ou la moustache, selon son humeur, le climat, le soleil, le temps gris ou la pluie. Personnellement, j'ai le goût – souvent frustré par l'extrême discrétion que m'impose mon métier – de l'extravagance, des gris-gris, des bijoux, des bracelets et des colliers, de la pacotille, des habits de pagne, du patchwork et des couleurs, des coupes de cheveux brûlées. J'ai même une panthère en mouvement tatouée sur l'omoplate droite. René, lui, ne porte pas d'excentricités. Il est toujours bien mis, assez bourgeois et moderne, d'une chemisette pastel, d'un pantalon à pinces, le tout très simple, loin du rock'n roll ou du rasta qu'il n'est pas.

En plus du boulot, où le dialogue est obligé, nous sommes tous les deux des causeurs, René et moi. Nous aimons les conversations inutiles, raconter n'importe quoi, des choses pas intéressantes, commenter tout et tous, pour le seul plaisir de bavarder. La politique et le sport sont nos deux sujets de prédilection, ils nous permettent des déchaînements passionnés, des paroles surexcitées. Nous avons des théories fumeuses sur tout, des opinions sur chaque chose. Nous pouvons nous épuiser comme ça des heures – aussitôt dite la connerie, aussitôt oubliée ! – pour rien, ni personne. Du jeu. Parler est un passe-temps, d'autres triturent des cartes ou des dominos, s'amusent à la roulette russe, que sais-je encore ? Nous parlons.

Écoutez-les ! Amidou Diallo, René Mwanga, ils bâtissent le monde à leur image, l'utopie et l'anarchie sont leur république, leur code civil, leur loi, en position d'avant-centre ils sont champions du monde ! L'un danse au poteau de corner, il est Roger Milla, l'autre se prend pour un mélange de George Weah et de David Ginola. Amidou! René! regardez-les! Ils se lèvent, se grattent les couilles, se fouillent le nez, il est midi. Leur matin ne commence que rarement plus tôt. Amidou fume un joint, René divague. Ils sont en pleine planante, sur leur nuage de satin cousu d'or et de merveilles, d'images roses, de filles aux cuisses sexy, de paradis...

René! Amidou! admirez-les! Ils sont jolis tous les deux, tordus de secousses, des rires convulsifs, des toux. Ils peuvent repartir de zéro, sans problème, ils n'en sont pas loin.

René est mon complice pour la journée. Nous mangeons ensemble, au plat, la main plongée dans la sauce, c'est bon! Et puis nous prenons la bière. Nous buvons à notre rythme la Flag bien tapée. En prenant notre temps. Et nous cognons les verres.

– À ta santé, René!

– Inch'allah, inch'allah, Amidou, inch'allah.

René n'est pas musulman pour un franc, et religieux ou croyant pour encore moins. Il serait d'ailleurs bien incapable de réciter une seule sourate du Coran, ce qu'il concède aisément. D'ailleurs René n'est pas Mustapha, Ibrahima ou Mohammed, René est chrétien de nature, et la chrétienté il la connaît, il a bossé pour elle, et sous toutes ses coutures! Non, René est ouvert au monde et à l'humanité, c'est pourquoi il sait apprécier la prière à Dieu que les muezzins font résonner dans la ville – l'Islam c'est 30 % des gens à Abidjan – et il adore citer inch'allah à tout bout de champ. Inch'allah, une formule qui convient à René pour saluer les gens, leur répondre par une pensée, partager leur avis, inch'allah, à la fois bonjour, au revoir, à la fois fatalité et à la fois merci.

54

Inch'allah, ça veut tout dire – « si Dieu le veut » dans le texte, et peut-être la traduction littérale suffit-elle à embrasser tous les concepts – et dire n'importe quoi.

Oui, René, inch'allah !

René Mwanga est un garçon bien élevé. Il est discret, poli, neutre. En société, ses propos et ses opinions sont mesurés, toujours sa conversation est de bon ton. Ce n'est que seuls avec nous-mêmes que nous nous permettons toutes les exceptions.

*

Si, personnellement, je résiste de toutes mes forces vives à la schizophrénie – et indubitablement, je m'en sors pas mal car j'arrive à faire abstraction de bien de mes émotions, oui je me souviens de mon nom quand je me lève et de qui je suis – René, lui, a plus de difficultés à soutenir les pressions qui tapent sur son système nerveux. Il est victime de crises de paranoïa, nous l'avons vu, mais il sombre aussi dans des accès de mélancolie aiguë. Il s'égare. Deux jours, il disparaît à la maison. Comme si son âme avait quitté son corps, il reste à « New York », assis sur le canapé, les bras ballants le long du corps, les paumes tournées vers le plafond, extatique, sans bouger, face au mur. Il se lève seulement pour pisser, à côté je l'ai constaté, grignoter un morceau. René ne parle pas, ne parle plus. Et, honte à moi ! je ne sais que faire, ni quoi lui dire, pour le sortir de cet état. René s'enfonce dans une tristesse infinie. Sont-ce ses angoisses seules qui l'épuisent ainsi, le précipitent dans cette torpeur maudite ? Je me fais du souci pour lui.

Aïssa, qui l'aime bien, a d'abord été paniqué par les premiers accès. Elle invoquait pêle-mêle les marabouts et les sorciers, les morts-vivants, les esprits du mal et tous les diables africains. Maintenant, elle s'est un peu habituée, elle n'a plus peur, elle craint beaucoup plus ses crises de hurlements. Aïssa est gentille avec lui, et le guide dans ses moments d'autisme soudains. Elle s'occupe de mon associé, essaie de le faire manger, lui sourit, multiplie les signes et les grincements de sympathie à son égard.

Heureusement, pour le soutenir dans la vie, René a une petite maîtresse, peut-être pas un amour, mais une fiancée, Brigitte, qui le maintient sur terre, le retient de se propulser sur orbite une bonne fois pour toutes.

Je pense que son boulot, pour lequel René est toujours appliqué et consciencieux, participe aussi à sa survie.

Brigitte a les fesses à la mesure de ses seins, énormes. Tout chez elle est volumineux, appétissant, érigé et vainqueur. XXX ! Le sexe chez Brigitte s'exprime physiquement et se voit – ce n'est rien de le dire – de l'extérieur. Brigitte est jeune, elle n'a pas plus de vingt-cinq ans, sa chair ferme colle à son corps et son ventre tient encore bien, elle n'a pas d'enfants. Et mon René, lui, tout fluet pour parler franc, se jette sur tout ça en hurlant, la bite parée pour limer longtemps. Pas une idée de grosseur, pas un fantasme de rondeur qui n'égale l'opulence et la générosité des formes de Brigitte. Pour combler René, Brigitte est une fille tout à fait charmante et souriante, dotée d'un solide bon sens. Elle est sécurisante. Nous l'apprécions tous.

Brigitte travaille à l'Office National de la Sécurité Ivoirienne, secrétaire comptable. Elle n'a rien à compter dans son bureau minimaliste, une table, une chaise, pas même l'ombre d'une machine à écrire ou d'une calculette, et non plus de papier ou de stylo pour faire semblant de bosser, c'est dire l'indigence et le laisser-aller de l'administration ivoirienne. Pour se dégourdir les jambes et arrondir ses fins de mois, Brigitte fait un peu partie de notre association. Sur commande, elle nous fournit des cartes de Sécurité sociale. La Carte de Sécurité sociále (il ne faut absolument pas la confondre avec la Sécurité sociale française, elles n'ont en commun que le nom) est une pièce à conviction indispensable pour l'obtention d'un visa français. En effet, cette carte prouve que son possesseur bénéficie d'un travail fixe, régulier et répertorié, dans le pays de départ, la Côte-d'Ivoire en l'occurrence. Cette disposition peut paraître absurde. Si on a la chance de travailler ici, pourquoi aller ailleurs ? Les autorités tricolores se figurent-elles encore que les gens se déplacent en masse vers l'Hexagone uniquement pour visiter les châteaux de la Loire, l'aile Richelieu du Louvre, se pâmer devant les tableaux Impressionnistes du musée d'Orsay, encourager le Quinze de France face à l'Angleterre, baiser la pelouse du Parc des Princes, ou se vautrer dans les sex-shops de Pigalle ? On n'a pas l'esprit touriste en Côte-d'Ivoire. Le tourisme, de toute façon, est un luxe Occidental.

Nous rémunérons Brigitte à la pige.

René est fidèle à Brigitte, il a éliminé de fait tous les « passages » qui lui bouffaient les couilles, il ne fréquente plus les prostituées. Mais il ne tient pas à sa fiancée plus que ça. D'après ce qu'il me confie, Brigitte n'entre pas dans ses préoccupations profondes, dans ses visions de futur, si tant est qu'il en ait.

Pour ma part, au-delà du fait que je succombe à mes pulsions sexuelles – elles sont sales – et que je baise pour mes plans, je ressens la même émotion que René pour ma copine la plus régulière, Elizabeth Tchétché.

Parler de Tchétché ! parler de Tchétché ! écrire un roman sur elle, ou des poèmes endiablés, pour savoir si je l'aime, ou comment l'aimer ? Une gageure. Je manque de force, de courage, de volonté... Quand l'amour est là – je peux le prendre dans mes bras, le serrer fort sur mon cœur, le sentir respirer contre moi – et qu'on est seul. Parce que c'est impossible autrement.

Nous sortons ensemble depuis deux ans. Elizabeth Tchétché se fait appeler Liza dans la rue. Moi, j'utilise son nom de famille, Tchétché, pour la nommer, un rythme, un *beat* dans la bouche, que j'aime.

Tchétché dirige une petite affaire de couture, une paire d'échoppes à la Riviera, quelques tailleurs travaillent pour elle, quatre ou cinq « petites mains », des Ghanéens. Non sans une légitime fierté, Tchétché crée ce qu'elle appelle ses « collections ». Tchétché fait la mode pour le frimeur dans la rue, pour la « diskette » du soir qui danse au Poliehet et traîne des pieds à Yopougon. Tchétché a même des clients dans le milieu du show-biz à Abidjan, ce ne sont pas ces derniers qui paient le mieux. Tchétché a l'œil pour bien couper les tissus, et l'art de les accommoder. Dans le marasme actuel, Tchétché se débrouille super-bien. Au Centre Culturel Français, où le directeur, un petit homme courtois et accueillant, veille sur la bibliothèque (il est bien le seul Blanc a avoir échappé à la misère intellectuelle), Tchétché lit les magazines de mode, le *Elle*, le *Glamour*, le *Vogue*, le catalogue de La Redoute d'il y a quinze ans, très disco. Elle recopie les modèles qui lui plaisent, elle sait bien dessiner. Un coup de crayon léger, elle fait une femme coquette, en déshabillé pour son amant la nuit, ou chic pour la soirée, le bal, les fêtes de fin d'année et toutes les cérémonies.

Tchétché est une fille active et libre, elle est très indépendante. Tchétché est mère d'une fille de six ans, Bineta, qui vit chez sa tante à Gagnoa où elle va à l'école depuis l'année dernière. Bineta a de bonnes notes, ce qui enchante sa mère.

Tchétché est venue chez nous, ce dimanche, en fin d'après-midi, vers 18 heures. Sans trop mot dire, elle nous a salués, un sourire, un baiser, puis s'est installée dans le canapé, comme à son habitude. Tchétché ne se fait pas remarquer.

Nous sommes en réunion, René et moi, discutant, réfléchissant, plongés dans nos calculs, dressant un bilan ponctuel de notre semaine, mais, moi, Tchétché! j'ai vu qu'elle était belle.

Ce soir, Tchétché est superbement sapée d'un pantalon-trompette taille haute et d'un spencer sexy, largement ouvert, aux manches de dentelle. Elle a choisi des pagnes psychédéliques pour matière de ses habits et porte des bijoux partout. Et, dans ses couleurs et ses formes, Tchétché, classe certes et superbe, réussit à rester discrète. Son attitude est honnête. Elle se tient bien droite dans le canapé, sa belle présence, son charme serein me font craquer.

Tchétché est bété, de la région de Gagnoa donc. Avec leurs cousines peules, les filles bétées sont les plus belles femmes d'Afrique. Sa peau est caramel, souple et douce, du miel, ses pommettes et ses cuisses sont toutes rondes, des avantages. Tchétché a des lèvres immenses, parfaites, tracées par un grand peintre italien de la Renaissance, grandies d'un perpétuel sourire. Tchétché est petite et mince. Ses seins ne sont pas plus gros que deux oranges, mais ses tétons, tout ronds eux aussi, sont des bonbons.

Tchétché s'entend bien avec René, et moi idem avec Brigitte.

Nous sortons au ciné, Tchétché et moi, ce soir, sur le boulevard de la République, le seul coin éclairé du quartier.

Nous remontons la République à pied, de « New York » au ciné, main dans la main. Je ne porte qu'un grand boubou vert et brodé, des sandales sénégalaises dans l'humidité de ce dimanche soir. Je me trouve beau, je me sens bien, je veux faire honneur à Tchétché, je suis son serviteur. Nous entendons le tapage bizarre des chauves-souris suspendues aux arbres, elles crissent et bruissent, invisibles, camouflées, confondues aux branches et aux feuillages.

Le film américain que nous voyons, *New Jack City*, un avatar avec Wesley Snipes et Ice T, raconte l'histoire bancale d'un adolescent noir drogué qui prend beaucoup de crack. Le jeune homme aspire la drogue à une pipette et se révulse, l'acteur joue bien son rôle. Puis, dans un élan de rédemption et de redécouverte de la morale, le petit gars en baskets passe chez les flics sous l'autorité charismatique de Minister Ice-T, lui-même accroché et voyou repenti. Le jeune aide à démasquer les bandits, mais finit par replonger. Les chefs mafieux iniques chez lesquels il s'est incrusté le massacrent. Il donne sa vie pour l'exemple. Ice-T pleure à chaudes larmes. Le crack, la dope, les méchants, les gentils, les flingues et les fusils... Le résultat du scénario, bien cordé et non pas seulement ficelé, donne comme résultat final un bon bain de sang, tout à fait réjouissant et spectaculaire d'un côté, il faut bien l'avouer, mais nous avons peur de l'autre. Dans le film, sous certains de ses aspects urbains, nous reconnaissons notre Abidjan. La violence par les armes... nous imaginons très bien ce que cela peut représenter.

Au final, Tchétché est ravie du film et je ne suis pas déçu, nous nous sommes cultivés et divertis. La nuit est noire, moite, pourtant il ne fait pas trop chaud. Au sortir du cinéma, des gamins polios informes se traînent sur des cartons. Ils tendent à moitié la main.

Nous avons faim. J'invite Tchétché au restaurant. Nous partons vers Cocody, par la corniche. Notre taxi nous dépose à l'angle de Latrille et du boulevard de France. Pas une voiture en dehors de la nôtre. Des filles perdues crient dans la rue. Puis plus un bruit.

Un petit chemin de terre mène à ce maquis un peu chic qui fait l'occasion pour les soirées en amoureux. Dans l'obscurité, Tchétché me coince contre un arbre, m'attrape et me serre les couilles dans sa main, collée sur moi, elle les caresse, ouvre la paume sur tout mon sexe, saisit ma bite ; alors, dégageant son visage sous la lumière de la lune, elle m'offre son sourire radieux, quand sa bouche suit le mouvement de hanches de ses yeux. Elle m'embrasse tendrement. Si belle, si douce, Tchétché, tu me bouleverses.

– Je t'aime comme un salaud, me souffle-t-elle.

– Je ne sais pas si c'est sérieux, bredouillé-je tout à mon excitation, à mon plaisir qui vient.

Qui est le salaud ? Je pourrais jouir ici, tomber, m'écrouler sur les coudes, sur les genoux, pleurer...

Tchétché me sauve la peau, elle reprend mon souffle.

– J'ai l'appétit, me dit-elle, viens !

61

Nous sommes seuls à dîner. Abidjan, qui sort ce soir de tes maisons pour dépenser ? Qui a l'argent ? Qui est en sécurité ?

Mais, après tout, je ne suis pas mécontent d'être assis – deux bougies sur la table ruissellent, face au vent – dans les yeux noirs de Tchétché, doucement maquillés. Nous sommes isolés du monde.

Nous profitons d'un poulet bien gras, bien grillé, bien saucé, avec, pour accompagnements, alokos et gombos. Le plat est bien servi, nous avons commandé atiéké aussi, il est frais et colle à nos mains. Ce maquis est classe, et ses produits de très bonne qualité. Nous dégustons le poulet le plus cher d'Abidjan ! Il est succulent. Nous ne lésinons pas avec le piment, et nous arrosons avec la bière. J'ai la bouche qui chauffe, la langue en feu.

Tchétché a envie de causer.

– Que penses-tu de l'amour, Amidou, ces derniers temps ?

– Tchétché, je t'en prie, tu sais que l'amour ne résout rien...

– Parlons de nous deux, dit-elle, douce mais un peu sévère aussi, oublions le reste... On fait abstraction de tout, on parle de nous deux...

Je ne réponds pas.

– Amidou...

Il n'y a pas de prière dans sa voix, un peu de désillusion seulement, le sentiment intime de ne pas avoir le droit de vivre sa vie.

Je balbutie :

– Écoute, tu sais bien, c'est l'enfer ici, une chose compte, une seule, et pour toi, c'est pareil, sauver notre peau, et ça, ça ne se fait pas à deux. Si tu veux de l'argent, j'en ai, je t'en donne.

Je regrette aussitôt ce que j'ai dit, mais Tchétché ne se vexe pas.

– Merci. J'ai tout ce qu'il me faut... Amidou réponds-moi, combien de temps crois-tu que nous allons pouvoir encore vivre ici ?

– Je n'en sais rien, j'évite de me poser la question... Tout peut péter, s'enflammer comme une botte de foin livrée à l'allumette, aujourd'hui, ce soir, à l'instant où je te parle – et nous n'en savons rien –, dans dix ans, jamais... On peut envisager toutes les hypothèses pendant des heures. L'inconnu, c'est l'inconnu, comme si nos ancêtres n'avaient pas vécu, nous avons perdu le fil, je suis en train de le perdre aussi, peux-tu comprendre ça ? René en est au même point, si ce n'est pas pire, il débloque le pauvre, il tombe dingue...

– Tu es d'ailleurs... soupire Tchétché.

Je ne l'entends pas.

– Je ne veux pas te contrarier, Tchétché...

Tchétché n'est pas fâchée, mais elle est femme, malgré tout. Elle sourit. Et mange.

Dans une autre vie, dans un autre monde, nous pourrions peut-être nous marier, fonder un foyer, avoir des enfants... Je détourne les yeux. Quel est ce sentiment d'impuissance qui me retient de l'aimer ? Je sais que notre histoire n'aura pas de fin. Je suis un homme, un homme, un homme et un nouveau-né, je cherche encore le sein. Je fais ma pénitence.

Le chapitre est clos. Très vite, Tchétché retrouve sa bonne humeur.

– Tu veux faire l'amour comment ? me demande-t-elle, ses deux belles mains de femme plongées dans le poulet, un os entre les dents, des dents d'une blancheur de Cantique des cantiques.

– Je veux par-devant, par-derrière et encore par-devant,

lui dis-je, éclatant de rire. Je m'étrangle avec un morceau de banane.

– Tu vas t'occuper de moi, j'ai besoin de tendresse, de baisers, de caresses...

Tchétché a le regard brillant, elle s'amuse à s'exciter, le menton dans l'assiette, les yeux levés vers moi. Elle pose son pied sur ma cheville. Tchétché aime toucher, manger, sucer, elle sait dormir bien, se reposer, siester, en paix.

Nous dînons lentement, nous profitons, puis nous restons un temps, romantiques, à notre table, les mains dans les mains, nous caressant, les joues, le cou, les oreilles, si bien finalement. Nous quittons le restaurant enlacés et dignes, ensemble. J'ai envie de faire l'amour, et elle aussi, elle me le dit et me le répète sur tous les tons.

Sur le chemin du retour, après avoir bu, moi, une dernière bière, et Tchétché un coca, pour nous désoiffer, nous nous faisons stopper sur le pont Houphouët par deux flics armés. Ils agitent leur lampes de poche pour nous intimer l'ordre de nous arrêter, ils nous aveuglent. Un incident fréquent. Ces flics ne sont pas en service, parfois ils ont même carrément quitté la police et seulement gardé les uniformes et les armes. Ils arrondissent leurs fins de mois en montant des péages anarchiques sur le pont. Ils rackettent tout sur le passage. Sale plan. Et ce connard de taximan qui n'a pas eu le réflexe de repartir ! Il ne veut prendre aucun risque, pas question de se faire tirer dessus. Tout compte fait, il a sûrement raison. Triste fin que de se faire flinguer par des petits cons.

La lagune est une huile noire, des nuées de moustiques volent sur le pont, il y fait chaud et poisseux.

Je prends les devants, quitte le taxi, claque fort la portière pour me donner une contenance, je vais vers eux, complètement affolé à l'idée que Tchétché puisse se faire embarquer par ces soudards. Vraisemblablement, nos braqueurs sont pétés aux amphets, très speeds. La situation est compliquée. Vais-je assurer ? me dis-je intérieurement, je bande mes forces, je ne suis pas spécialement balaise, mais prêt à me battre s'il le faut. Je préférerais parlementer.

– Y'a quoi dans ta voiture ? me dit celui qui semble mener l'opération.

L'homme est jeune, à peu près de la même taille que moi, il lui reste quelques dents pourries dans la mâchoire, il bégaie de nervosité, ses yeux sont injectés d'une sorte de pus jaune, une plaie infectée lui barre le front.

J'avance un peu vers lui et crie en langue de la rue :

– Y'a rien pour toi, y'a taximan seulement.

– Faut ouvrir coffre maintenant, ajoute-t-il.

– Pourquoi ouvrir coffre ? lui dis-je, toi t'es pas vrai policier, tu veux l'argent ?

Il hésite.

Tchétché s'est faite toute petite à l'arrière de la voiture, elle a raison. Des fois, ces gars sont dingues. Elle disparaît, également aidée en cela par les dix mètres qui séparent mon interlocuteur de la voiture, moi entre les deux, et la nuit sans réverbère du pont, qui lui bouchons la vue.

– Bon, t'as tout compris, tu vas donner l'argent pour la bière, m'ordonne celui que j'ai défini comme le chef.

Il porte un uniforme dépenaillé, sa voix est rauque, cassée, une voix de junk.

– 2 000, ça va ! proposé-je sur-le-champ.

À ce moment, je pense encore pouvoir m'en sortir.

– 2 000, c'est petit, siffle-t-il dédaigneusement.

– J'ai dit 2 000 ça va !

J'ai tellement peur que j'en deviens agressif.

– Continue comme ça et je vais te braiser, me menace-t-il.

Il braque son arme sur moi, un vieux pistolet-mitrailleur rouillé, un truc chinois, qui peut lui exploser dans la main, comme tous nous trouer. Merde, on se croirait pratiquement dans une scène du film que nous venons de quitter.

– C'est bon, je calme, je mets 1 000 encore, prends l'argent et va-t'en !

Je pose trois billets de 1 000 sur le sol. Le gars se jette dessus, un affamé.

– Envoie 3 000 à moi aussi ! s'exclame alors un petit, tout mal foutu, qui n'avait encore rien dit jusqu'à présent.

Je vais l'envoyer sur les roses, quand il me saute dessus, m'arrache pratiquement mon boubou, me vide les poches, trouve les 20 000 francs en liquide que j'aime à porter sur moi. À vouloir jouer le prince, voilà ce qui arrive !

Mes deux braqueurs disparaissent aussi sec dans la nature. Ah oui, bonne sortie pour vous les gars ! Je suis furieux, tout tremblant, j'insulte le macadam, le pont et la lagune.

Tchétché est soulagée.

– Bravo, me félicite-t-elle, nous sommes vivants, et toi tu es entier, remercie Dieu.

– Je suis vert, j'avais 20 000 balles.

– 20 000 balles ! tu es fou ! rigole-t-elle.

Je me marre aussi. Le taximan, lui, n'a pas bronché.

– Vite, à la maison, dis-je à Tchétché, j'ai besoin de fumer !

Notre taxi repart.

– Du calme, Amidou, du calme, me souffle Tchétché. Elle me caresse la nuque, délicate elle m'embrasse dans le cou, et m'apaise. Tchétché est une fille de sang-froid, elle sait adoucir mes nerfs.

Enfin, nous rentrons à « New York ». Quelle soirée ! J'embrasse Tchétché dans l'ascenseur, les 38 étages durant.

Pas de lumière à « New York », René dort déjà. Je rallume le bout de joint qui semble m'attendre dans le cendrier, et en tire quelques taffes rapides et brûlantes. Puis j'attire Tchétché dans la semi-pénombre de ma chambre. Elle ne dit rien, elle se laisse faire et tient ma main. Je la déshabille – elle est debout – jusqu'à son minuscule string de soie, et je la lèche de haut en bas. Son sexe est soigné, coiffé, peigné, crémé, c'est un fruit magique, je l'aspire dans ma bouche, il coule. Tchétché aime ça, je l'entends murmurer et se tendre. Je l'allonge sur mon drap, nue, trempée, pour la prendre. Et je tiens à Tchétché toutes mes promesses de douceur. Notre plaisir est du bonheur.

*

Je me suis réveillé tôt ce matin, c'est inhabituel. J'ai dormi sans rêves, ma tête bourdonne. En silence, je me suis glissé hors du lit, j'ai enfilé un pantalon de boubou, j'ai bien pris soin de ne pas sortir Tchétché des limbes. Elle est étendue, étalée dans les draps, son petit cul désirable sur le côté comme deux ballons magnifiques

qu'une fente sépare. Ses belles jambes noires enchevê-
trées dans un pagne, elle respire doucement. J'aime
contempler Tchétché, endormie dans mon lit. Je lui
souris.

Dans le salon, j'ai allumé une cigarette. J'ai aspiré
fort la fumée. Je pense déjà me rouler un joint, et
retourner me coucher, défoncé, me glisser dans les bras
de Tchétché. Mais je vois l'aube se lever sur « New
York ». C'est toujours un grand moment. Voilà, d'un
côté les buildings et les tours, omniprésentes, énormes,
certaines mesurent plus de cinquante étages. Elles
renaissent au jour, elles sont de verre et de métal, elles
crèvent le ciel gris de toute leur prétention. Et de l'autre
côté, encore et toujours, le ghetto, la Cité, là où tout est
à plat, pillé, battu, pilé comme du manioc, rongé par la
crasse et par l'humidité. Il a plu cette nuit. Les rues
sales sont brillantes, elles circulent comme des orvets.

Je domine la ville, le jour pénètre « New York »
doucement.

Lundi matin, la semaine commence. Dans la rue tout
est encore calme mais les premiers bus roulent déjà, on
voit quelques taxis, nous sommes si haut, on dirait des
jouets...

Je perds l'équilibre entre ces dimensions contradictoires. J'ai le vertige, la tête qui tourne, le cœur qui
balance, l'estomac qui, lui, se retourne. La gerbe me
remonte tout d'un coup des boyaux, me brûle la gorge,
j'ai juste le temps de courir aux chiottes, elle s'étale
dans la cuvette (ça va déjà mieux), de toutes les couleurs
mais tirant plutôt sur le vert, et ce ne sont pas seulement
les effets primaires de la drogue et de l'alcool que
j'ingurgite. Non. Abidjan, je vis à la frontière des
contrastes, sur un fil, en acrobate. Au sud, la rue, le

trottoir, la misère, la survivance, le *nuchi* [1], les guitares et les djembés électriques, la nuit. Au nord, l'enrichissement facile et gratuit, la spéculation, la compromission, la concussion, la corruption, le népotisme, l'arrogance, la dictature du chef d'aujourd'hui, paria demain, l'injustice... Le malheur de toute façon.

La nuit cède et s'éclaircit.

Tout alentour la nature, flore et faune, est partout présente. Elle est rebelle.

Les arbres envahissent la ville de leurs racines géantes avec une rapidité affolante et creusent des sillons dans le béton, les mauvaises herbes s'incrustent dans les interstices des dalles biscornues des trottoirs.

Dans la lagune, les crocodiles aux yeux jaunes grouillent et battent de la queue. La nuit, des gosses complètement chargés s'amusent à les terroriser en tapant l'eau de leurs pagaies. Certains, trop intrépides, se font bouffer, arracher un bras, une jambe.

Les margouillats courent sur les chaussées pétées et croisent les rats et les cafards. Ils sont les maîtres de la rue.

La jungle est là, partout, prête à dévorer la cité, attentive à la faiblesse de l'homme.

*Les mambas noirs, cracheurs de venin, envahiront les chantiers en construction, se loveront dans le ciment, des pluies diluviennes saccageront les toits des maisons, des lianes vivantes, vicieuses, détruiront les autoroutes, exploseront les canalisations, des micro-organismes, des algues, boucheront les égouts, la malaria, le paludisme brouilleront la vue des gens, empoisonneront leur sang.*

Putain de sort. Abidjan.

---

1. *Nuchi* : slang d'Abidjan.

Je suis sorti des chiottes, j'ai repris mes esprits et lavé ma figure.

Il est un peu plus de 7 heures du matin, Aïssa arrive à « New York », elle possède sa propre clef. Elle est surprise de me trouver debout, seul, à fumer des cigarettes dans le salon. Je n'ai pas allumé la lumière, je reste dans le gris.

– Salut Aïssa, en forme la belle ? Je la salue dans un léger sourire, et le regard un peu dans la brume.

Elle me rend mon sourire, et me tend la main, sa poignée est plus une caresse, que véritablement serrée.

Aïssa part dans la cuisine, son domaine, son territoire privilégié, où elle dépose un gros sac de légumes frais : je vois des avocats dépasser du paquet, c'est la saison, ils doivent être bien mûrs, merveilleux ! Aïssa jette un coup d'œil circulaire et professionnel autour d'elle, histoire de mesurer l'étendue de son travail je pense, et par où elle doit commencer.

– Dis, Aïssa, Tchétché est dans ma chambre, elle se repose, il ne faut pas la déranger, elle va rester ce matin à la maison, elle va t'aider à la cuisine, ça va ?

La petite secoue la tête, enjouée, et se fend d'un autre beau et large sourire. Elle déballe son panier et m'offre une orange.

– Merci, la belle, tu es un ange.

Je le pense vraiment.

Aïssa et Tchétché s'entendent bien. Avec sa couture et ses tissus, Tchétché fascine Aïssa. De temps en temps, Tchétché offre une pièce à la petite, une camisole, un pagne taillé... Parfois, Tchétché traîne à « New York », alors elle participe à la maison et donne un coup de main à Aïssa pour la nourriture. Les deux filles aiment bien préparer à manger ensemble, pour nous tous. C'est toujours comique de voir Tchétché et Aïssa en grande conversation – leurs visages sont des mimes – et s'exprimer par signes ; leurs mains dessinent alors des arabesques dans l'espace, des gestes de magicien ou de fakir, c'est très beau.

Aïssa nous accompagne dans la vie. Tous les matins de la semaine elle est ponctuelle, comme je le constate, et vient chez nous vers 7 heures – habituellement, à cette heure-là, nous dormons à poings fermés – et nous quitte le soir à 8 heures.

Nous lui donnons 50 000 francs de gages par mois, ce qui est un bon salaire dans le coin. Nous l'avons augmentée depuis que le CFA a été dévalué. Aïssa fait le ménage, la lessive (qu'il lui arrive de sous-traiter), l'entretien de la maison, les repas... Elle a carte blanche pour organiser son travail comme elle le désire.

Aïssa doit avoir quatorze ou quinze ans, peut-être moins. Dans bien des sociétés elle serait encore une enfant. Ses parents sont au loin. Je connais son chaperon, la dame qui l'héberge dans sa maison près de Port-Bouêt, une vieille tante à moitié sorcière mais pas trop malhonnête, elle ne vole pas systématiquement l'argent de la petite et ne lui impose pas tous les travaux ménagers. Je ne lui ferais cependant pas confiance dix secondes, son air chafouin ne me dit rien, mais Aïssa sait s'en défendre et, au bout du compte, se faire respecter d'elle. Aïssa a une stratégie de vie à laquelle elle se tient, elle croit fort en son destin.

Aïssa est muette de naissance, elle se tait – ce qui nous arrange tous pour la quiétude du business, elle comprise –, analphabète, petite, grassouillette, et pas très jolie. Elle a la peau très noire, ses yeux sont comme

71

deux petites ampoules constamment allumées qui se déplacent dans l'espace. Des scarifications rituelles au bout des tempes, sur les pommettes, donnent à ses joues l'apparence de deux fruits blessés. Aïssa est excisée sans doute, et ses petites lèvres couturées. Elle est émigrée du Burkina, elle comprend moré, la langue de ses parents, dioula et français. Pour la plus grande fierté de la jeune fille, René utilise les quelques tournures de moré qu'il maîtrise à peu près. Je ne lui connais pas d'amoureux. Tchétché, Brigitte, René ou moi, nous la taquinons à ce sujet. Elle nous fait des moues en retour, des sifflements des lèvres, des grincements de la langue. Tu as raison Aïssa, les hommes, terrible !

Aïssa est une fille intelligente et brave, douée même. Sous sa main de fée, « New York » est toujours dans un état parfait. Tout juste si l'on peut penser que l'appartement est habité. Aïssa efface nos traces. Et quand elle repasse les chemises de René, elle ne laisse pas un pli. Un mystère pour moi qui n'ai jamais su me servir d'un fer.

La cuisine d'Aïssa est une vraie petite merveille. Elle maîtrise la sauce claire, la sauce gombo, la sauce tchoumblé, elle sait griller aloko à la perfection et préparer atiéké, elle peut aussi nous faire cuire un steak ou cuisiner sénégalais. Nous ne manquons jamais de la féliciter pour ses plats, René et moi. Nous aimons bien Aïssa. Sans la gâter, nous lui donnons des petits extras, un billet de 5 000, un pagne de Wax ou d'Aningra – Aïssa est élégante dans les couleurs –, nous lui payons le taxi le soir pour qu'elle retourne chez elle en paix et en sécurité. Pour son anniversaire, René, dont Aïssa apprécie la douceur – je suis quant à moi parfois un peu sévère –, lui a offert une montre simili-Swatch pour son poignet. Je me souviens de sa joie ce jour-là, de la lumière entière sur son visage.

Aïssa est une fille heureuse, elle n'est jamais fatiguée, les choses simples lui suffisent, elle ne souffre pas trop de l'ambiance dans la ville, et ne projette aucun fantasme de grandeur sur son univers. Aïssa estime avoir de la chance de travailler et de gagner un peu d'argent. Elle est discrète et silencieuse, mais vivante, présente, sans pour autant être béate ou inconsciente. Aïssa est solidaire. Son intérêt, certes, c'est nous, mais, parfois, dans l'ombre douce de son regard, je perçois la réalité de nos angoisses. Elle les partage. Nos sorts sont liés, communs, qu'on le veuille ou non, et quelles que soient les différences ou la distance qu'il peut bien exister entre nous. Sans aucune considération d'une pseudo-hiérarchie sociale, soit dit en passant. Je veux parler de culture, d'histoire. Les soucis, l'inconnu du lendemain, l'oubli, la solitude, la faim d'aimer, une famille, un pays lointain – dont la mémoire dans nos âmes s'efface – sont les éléments incohérents de son histoire, des empreintes déjà, comme l'aveugle est attaché à son chien.

Je fume mon premier joint de la journée, un petit, roulé dans un lambeau de papier pelure, auquel j'ai additionné une pincée de tabac.

J'entends l'eau couler dans la salle de bains, Tchétché prend sa douche, je la rejoins. Je la regarde se laver, je la mate plus exactement, comme un homme sa femme, comme un mâle sa femelle, comme un animal, elle me sourit, ses tétons tout durs sont érigés, violets, et ses yeux encore mi-clos par un reste de rêve qui l'apaise. Le duvet soyeux de ses bras retient de la rosée sur sa peau. Puis, toujours dans la salle de bains, nous nous enfermons pour faire l'amour, l'amour du matin, doux et tendre, l'amour liquide, frais, dispos, l'amour ensommeillé, sans un mot. Même nos soupirs sont silencieux.

Tchétché a mis une culotte rose, transparente, son sexe est une petite merveille du monde, ses cuisses divines dessinent ses hanches. Je peux caler mes paumes sur ses épaules, un grain de beauté, en haut à droite, et puis un autre, plus petit, à gauche, ouvrent la naissance de ses seins... Tchétché voit mon regard encore affamé, elle se tourne et me montre ses fesses qu'elle secoue en riant. Je la prends par-derrière, je la pénètre, je prends mon temps, et je jouis longtemps.

Après avoir pommadé son corps de crème de volupté, dans ma chambre, Tchétché s'habille, elle revêt une robe courte de basin fuchsia, finement brodée par un Sénégalais spécialiste, lacée sur les côtés. Elle est disco. Tchétché suspend à ses oreilles, monte à ses chevilles, à ses poignets, cintre à ses bras les bijoux de la reine Pokou, tous les masques de la vie, le courage, la liberté et la fécondité.

Tchétché a bu un thé avec René, enfin levé, lui racontant nos aventures de la veille (René n'en est pas revenu), et mangé deux bananes pendant que je triais des papiers. Encore ces foutus papiers.

Puis elle est revenue vers moi, m'a pris dans ses bras. Elle a touché ma joue barbue :

– Vraiment, tu es beau, tu me plais, j'aime faire l'amour avec toi.

– Moi aussi, Tchétché, tu me plais à la folie, lui ai-je dit la serrant à mon tour fort contre moi.

Je lui ai donné deux baisers sur les pommettes.

J'aime bien garder Tchétché à « New York », dans la

maison, j'ai l'illusion de vivre avec elle. Quand l'endroit de l'un est l'endroit de l'autre.

« New York », justement, l'appartement que nous occupons à plein temps, René et moi – j'ai promis d'en parler – est une aubaine. Finalement, si on laisse de côté le fric que nous ramassons, « New York » est la meilleure opération que nous ayons réalisée.

« New York » a une telle influence sur nous, il conditionne tant notre existence, que nous avons parfois l'impression qu'il est vivant. C'est courant, il est vrai, de sentir un feeling humain dans une maison ou un appartement. Il suffit de constater le nombre d'œuvres – romans, nouvelles, films, fresques, poésies ou tableaux – que les artistes ont consacré à ce phénomène. Et sans qu'il soit forcément fait appel au surnaturel, au fantastique. Personnellement, je ne prête pas de vie aux objets ou aux choses inertes, à l'exception des maisons. Elles protègent trop les âmes des hommes des intempéries, climatiques ou psychologiques, pour n'en avoir aucune.

Alors « New York » a une âme, un nom, des vibrations, une beauté physique, canon. « New York » serait une très jolie femme aux atours des plus sexy, mais aussi un monstre à dix trous, autant de sexes, de pièges, de dangers, de fausses pistes. « New York » peut se retourner contre nous, nous torturer, nous obséder, mêler la douleur au plaisir, le plaisir à la douleur. Au 38e étage, « New York » développe l'imagination et les angoisses, des angoisses contradictoires de liberté et de claustrophobie.

Luxe, « New York » ! luxe ! luxe ! C'est certain. Surtout pour moi, aventurier de série Z, patrouilleur d'un monde parallèle. Pour René aussi, sans doute. Personnellement, j'ai toujours vécu à la grouille, dans des piaules pourries, dans des clapiers, j'ai élu domicile dans des granges, et même un poulailler. Quand je n'étais pas carrément à la rue, SDF. J'en ai connu des galères dans ma vie, pour dormir et habiter ! Et ce n'est pas fini, je le sais.

Je goûte à la joie d'être bien logé, « New York » est un palais : 120 mètres carrés environ, divisés en trois pièces, nos deux chambres donc, et ce fameux salon, son espace entre deux feux, ses dimensions.

Les murs de « New York » sont uniformément blancs. La peinture s'écaille par endroits, rien de très grave, jaunit et tire maintenant sur le sale. Ne comptez pas sur moi, encore moins sur René, pour passer un coup de barbouille. Nous trafiquons des papiers, ce qui est déjà bien compliqué pour nous, s'il faut, en plus, faire du bricolage dans la maison, pitié !

Les pièces de « New York » ne souffrent pas de l'encombrement inutile de bibelots, de tableaux, de meubles ou de tapis. Pas d'accessoires non plus, sauf une télévision couleur de taille moyenne qui accuse une réception correcte des deux chaînes nationales. Une télé est la seule chose que j'estime indispensable dans la maison, non que je ne puisse absolument m'en passer ou que j'en sois un fanatique, mais c'est un passe-temps, une source d'informations également.

Le mobilier de l'appartement est sorti en bloc d'un catalogue. Il se compose d'un canapé de velours marron, d'une table basse de verre poli, épais, de deux fauteuils profonds des mêmes matière et couleur que le canapé, d'une grande table à manger (elle peut accueillir dix convives) de bois massif – je ne pourrais préciser lequel, un bois commun probablement – très lourde, et de six chaises à dossier haut et droit, toutes semblables.

À l'usage, tous ces éléments se révèlent pratiques, solides et confortables.

Ils suffisent entièrement à nos besoins. Le canapé, point médian de notre vie ici, nous offre un espace de chat pour nous écrouler. De plus, on y dort bien. Il arrive à René de s'y vautrer, de s'oublier, puis de se réveiller en pleine nuit, en sueur, perdu, ailleurs. Alors, comme un fantôme, en se cognant à chaque coin de mur, la main sur le caleçon et se touchant la queue, il se traîne jusqu'à sa chambre pour, à tâtons, trouver son lit. Il me rappelle ces tortues de Zanzibar qui, après avoir pondu leurs œufs sur terre, rampent et pleurent pendant des heures de souffrance pour rejoindre la mer. Une fois dans l'eau, elles meurent. Le sommeil de René est aussi une petite mort, parfois le mien y ressemble également.

Dans chaque chambre, un grand matelas, à même le sol, des pagnes chamarrés, tissés, épais, sur du carrelage. Comme dans toute la maison, le carrelage garde la fraîcheur. Nous disposons de placards pour nos sacs toujours à moitié pleins et à moitié ouverts, comme éventrés, pour un départ précipité, pour une arrivée urgente. C'est tout.

Personnellement, ma chambre me plaît, nue, et mes affaires sur le carreau, distribuées et changées, au gré des entrées, des sorties, des mouvements de la journée.

Aïssa passe derrière moi. En un tour de main, elle fait ma chambre.

René a une tendance obsessionnelle, il range tout dans le salon, jusqu'au plus petit bout de papier, il traque des poussières microscopiques. Tout ce qui n'est pas net dérange son naturel.

Pas de déco, pas d'effets, pas de bordel, pas de bibliothèque non plus, ni de posters, ni de photos, pas d'images dans la maison. « New York » peut ressembler à une suite dans un hôtel (sans les services), à un appartement témoin et assez chic.

Pour nous, c'est parfait. Nous vivons là, sans nous poser de questions. New York, notre maison ! New York, notre bureau ! New York impressionne si favorablement tous nos clients.

Assis à la table à manger, devant nos interlocuteurs attentifs, j'étale tous les papiers comme un jeu de cartes demeuré. Toute la compagnie reste très concentrée, c'est le moment de la magie ! Alors René fait son topo.

Gros business ce soir, ce n'est pas ma tasse de thé, je préfère les clients particuliers. Pour la plupart ce sont d'inoffensifs quidams – communs parmi les communs – qui ne cherchent pas particulièrement à nous arnaquer. Jusqu'à présent, avec un minimum de précautions, nous n'avons pas eu de problèmes graves au-delà de quelques mauvais payeurs bien sûr, mais c'est le lot de tous les commerces. Nous avons même un petit compte « pertes et profits » et, dans la mesure du possible, évitons de poursuivre de notre haine – nous ne sommes pas des gars haineux – ceux qui, de toute évidence, ne nous régleront jamais. Certains, fort habiles, cachent leur jeu psychologique pour se révéler de véritables cons. Nous détestons les cons, les connards, les chieurs, les embrouilleurs. Ils sont très largement minoritaires. De toute façon, quand nous proposons un crédit c'est toujours un subterfuge commercial pour amadouer, coincer ou contraindre. Toutes les opérations doivent aller au bout. Pas question de laisser des dossiers inaboutis dans la nature. Nos risques ne nous coûtent rien. Nous sommes sérieux, que nos clients le soient aussi. Leurs voyages, après tout, dépendent de leurs papiers, et leurs papiers dépendent de nous.

Avec les plus gros business c'est différent, les enjeux pour nous comme pour les commanditaires sont plus grands. Les papiers que nous leur vendons leur rapportent dix fois plus. Ateliers clandestins, prostitution, contrebande de drogue, incrustations politiques intégristes et extrémistes – par voies détournées, terrorisme au premier degré – ou au contraire refuge pressé, morts en sursis, vieux vivants miraculés... Tels sont les principaux thèmes de leurs affaires.

Nous avons affaire à des gangsters, plus ou moins scabreux, plus ou moins pervers, et plus ou moins intelligents aussi. Les versements de ces opérations, forcément, se font en plusieurs fois, il y a toujours des négociations. Je ne sais pas si j'aime ça. Je n'ai pas la main très vendeuse, très baratin, très commerciale. Et bien souvent, je suis heureux que René soit là. Pour nous aussi, les grosses commandes sont juteuses.

Je suis dans mes réflexions inutiles et dans mes pensées professionnelles quand notre taxi nous emmène au Treichôtel. Il est déjà trop tard pour reculer – et puis reculer, avancer, tout ça... René ne laisse rien transparaître de ses éventuels tourments ou questionnements, lui c'est le pognon qu'il veut. Et j'avoue que c'est lui aussi, ce putain de fric pourri, qui me motive en cet instant.

J'ai fumé mon joint, l'herbe tangue dans ma tête. Nous traversons la lagune par le pont Charles-de-Gaulle. Depuis mon braquage, j'évite de fréquenter le pont Houphouët. Par superstition. Au loin, les collines de Cocody où fleurissent encore des villas riches et toute une kyrielle de cliniques, vides de patients le plus souvent, elles font plus office de banques souterraines que de centres de soins. Elles aussi blanchissent l'argent.

Treichville, enfin ! Akwaba ! Bonne arrivée dans le monde de la merde avariée. Les chaussées sont abîmées, défoncées par les camions bâchés, les bus surchargés et les taxis. Jadis construits comme symboles d'une réussite, de petits immeubles de trois ou quatre étages se lézardent et s'effondrent sur leurs fondations. Les murs des taudis dégoulinent de misère humaine. De cette misère que l'on retrouve partout, et partout la même, dans toutes les grandes cités tropicales du monde. Lagos, Rio, Manille, Mexico, Kinshasa, Abidjan, où suis-je ? Pas un réverbère n'éclaire la nuit. Nous roulons à vue. Des ombres nous coupent la route en courant, les trottoirs regorgent d'échoppes et de monde marchandant des produits de seconde main. Des chiens galeux, truffés de tiques, se nourrissent de détritus. Des gamins leur jettent des pierres et les animaux merdiques s'enfuient en clopinant. Le taxi file dans les ruelles. Il nous descend au Treichôtel, nous payons la course et nous laissons la monnaie. Le Treichôtel, notre habitude maintenant.

La façade du Treichôtel, peinte en rose, imite vaguement une idée bizarre du style colonial, un énorme néon violet clignote à son fronton. La nuit, son ombre dans la rue est vraiment un monument. Le Treichôtel est l'endroit de passage obligé de toute l'Afrique de l'Ouest. Tous les commerçants, du Soudan à la Mauritanie, du Cameroun ou du Zaïre même, descendent ici. Le Treichôtel est le lieu le plus cosmopolite de la région. C'est un hôtel de classe moyenne, les chambres sont propres, climatisées, le lit est honnête, l'eau chaude à peu près chaude, le tout est sans chichis. On trouve des cloportes dans les toilettes, mais ça c'est pratiquement inévitable. Le Treichôtel, son lot important d'hommes d'affaires pour clients – des Africains exclusivement, jamais un

Blanc –, attire chez lui la clique humaine – elle se bouscule au portillon – des punaises, des rats et des moustiques. Toutes les filles sont des putains, profession- nelles, occasionnelles ou potentielles. Elles peuvent pas- ser dans cinq ou six chambres différentes par nuit. Et les chambres ne sont pas obligatoirement occupées par une seule personne. Trois ou quatre hommes peuvent se partager le prix de la pension, environ 30 dollars, de midi à midi. Le Treichôtel est un lupanar en action. L'obscénité, le sexe prostitué suintent de tous ses murs. Ils glissent. Chaque homme qui passe et traîne ici est un magouilleur prospect. Oui, ils sont tous là, les maque- reaux, les maquignons, les voleurs, les vendeurs de tout et de n'importe quoi, les tricheurs, les hommes à l'affût, aux abois, prêts à sauter sur la moindre occasion de se faire de l'argent. Pour quelques pièces, des enfants portent les valises des voyageurs, ils n'hésitent pas à leur faire les poches à l'occasion.

Suivant les instructions de Saint-Ange, c'est au Trei- chôtel que nous avons donc installé notre quartier général pour les commandes en gros. Au-delà de dix passeports ou visas demandés, nous estimons dépasser le cadre de la simple cellule familiale, ou du seul cercle des amis. Au Treichôtel, nous sommes fondus à la faune dont nous faisons partie intégrante. J'adresse des saluts rapides de la tête à des visages connus, des habitués.

– Salut Marcel, rien de neuf ? lance René un peu stressé, à peine avons-nous pénétré dans le lobby.
– Ça va, les gars, ça va, répond Marcel, ils vous attendent...
– Merci, Marcel, et je lui serre la main.
Marcel, le patron du Treichôtel, est notre ami à

présent. Nous entretenons avec lui les meilleures relations. Comme nous l'avait dit Saint-Ange, nous avons appris à le connaître et presque à l'apprécier. Marcel est un vieux Blanc, mais il a tellement vécu parmi les Africains, que son visage en a noirci, Marcel parle le slang d'ici, il a oublié son français depuis longtemps, la langue qu'il cause ressemble à du cajun. Sa peau est toute ridée, il porte un dentier amovible qu'il fait aller d'avant en arrière avec sa langue, il paraît avoir cent ans. On dirait un échappé du bagne, un condamné. Sa peine serait d'officier ici pour l'éternité. Reconstituer la vie de Marcel serait un vrai roman d'aventures et d'action, j'en suis persuadé. Je pense à Papillon. Les bras et le torse de Marcel sont couverts de tatouages patinés par le temps, on devine encore certains dessins, plus ou moins adroitement exécutés, des têtes de mort signées d'initiales, des serpents, des tombes et des croix, dont une sorte de croix gammée qui m'a toujours impressionné, des noms de femmes, la plupart sont effacés, comme brûlés au chalumeau, misère, torture... Marcel ne bouge pas de son hôtel. Je me demande s'il connaît un autre quartier à Abidjan. Derrière le comptoir, une porte donne sur sa chambre. Mais je le vois toujours debout, à n'importe quelle heure, tôt le matin, tard le soir. Il ne dort jamais. Pour l'éternité Marcel...

Marcel connaît tout le monde – il a une mémoire de cheval –, les indics, les barbouzes, les flics bien sûr, les espions, les saloperies, les jeunes caïds qui braillent et sont violents pour un oui ou pour un non.

Marcel est passé sur toutes les putes. Il met un point d'honneur à n'en rater aucune. Aujourd'hui il ne baise plus, mais continue de se faire sucer la queue. Elle est molle et fripée. Les filles disent qu'elle pue.

Marcel est d'humeur causante ce soir, ce n'est pas toujours le cas. Il nous branche :

– Et les femmes ? commence-t-il en clignant de l'œil, ça filer bien ? Une taie laiteuse lui obscurcit l'œil gauche, la cataracte le menace. Qu'est-ce qui lui prend de nous parler de femmes ?

– Ça va, merci Marcel, lui dit René, on se plaint pas.

– Et vos queues, ça va ? insiste le vieux.

– C'est gentil de te préoccuper de notre santé Marcel, lui répond René, sincèrement, malgré une pointe de condescendance dans la voix.

– Pas de maladies, hein les gars, faites gaffe les gars, pas de maladies, hein... hein...

Nous ne répondons pas et nous dirigeons vers le bar.

Marcel part dans un rire obscène, hystérique – il résonne dans le hall comme celui d'un démon –, qui finit en un raclement de gorge. Nous l'entendons cracher, il arrive encore à crier à moitié :

– Hé, les gars, buvez un coup sur mon compte !

La défonce de l'herbe me monte maintenant bien droit au cerveau, je me sens bien, fort, je respire un grand coup, et entre dans le bar. Après avoir jeté un petit coup d'œil parano derrière lui, René me suit.

Le bar du Treichôtel est un décor de thriller... en minuscule. C'est un bijou. Il fait frais sous la climatisation poussée à fond, une fraîcheur qui contraste fortement avec l'atmosphère chargée de la pièce. La lumière tamisée filtre les regards voilés dans la fumée des cigarettes américaines d'importation. Ismaël, le barman, impeccable, chemise blanche, nœud papillon, se tient droit derrière le zinc. Son geste est sûr quand il essuie les verres de son chiffon, un professionnel. Il est jeune, et plutôt chic. Un coup de tête, il nous répond par un sourire et nous sert un mélange détonant de whisky et de bière. Des boules d'ampoules, bleues, oranges, vertes, rouges, des guirlandes, sont accrochées aux angles et aux plantes. On est serrés à dix sur les deux banquettes solidaires placées en arc de cercle. Les trois tabourets, au bar, sont rarement abandonnés. Combien de culs pourris s'y sont usés !

D'un côté, le bar communique avec le lobby de l'hôtel, c'est de cette issue dont nous sommes venus, de l'autre il donne sur le restaurant. Deux portes l'isolent donc du monde des curieux. La musique est forte, de la musique à la mode, mais dans la nuit décroît doucement.

Certains viennent ici pour s'amuser, toucher une fille dans l'obscurité, lui tripoter les cuisses et les fesses, la saouler avant de la monter, d'autres pour montrer leur argent par gros billets, ils commandent du champagne, du whisky, offrent des tournées, invitent à la ronde, paient des filles pour les amis, prennent à partie. D'autres encore se pavanent, font les beaux dans leurs habits les plus riches. Tous ou presque sont musulmans, dans la force de l'âge en moyenne, même si des hommes plus jeunes tentent de s'incruster dans cette société, de se glisser dans les atours de leurs aînés, dans leurs manies, pour faire comme eux.

Nous avons immédiatement repéré nos clients. Deux gros papas du Nigeria, couverts d'or à tous les doigts, au cou et aux poignets, sont affalés sur la banquette. Ce sont eux. Ou leur caricature. Une femme style manne-quin, très longue, très grande les accompagne. Son visage est large et profondément maquillé, ses seins sont gonflés dans sa robe de Lurex courte et sexy, elle croise les jambes. Je l'imagine en porte-jarretelles, lascive, à quatre pattes sur une table, un double godemiché dans le derrière. Nos clients nous ont amené un spécimen de leur marché. Je jette un coup d'œil à René et le surprend le regard pointu sur la beauté. Je m'attends à tout.

Une bouteille de mauvais whisky bien entamée, de la glace, trois verres traînent sur leur table. Les deux hommes repoussent avec dédain les filles qui viennent leur tirer les couilles et reluquer de près leur putain. Ils portent tous les deux d'amples boubous de basin brodés de strass, des grosses montres voyantes dont on peut pratiquement entendre la mécanique, des prothèses dentaires, en or également.

Tout de suite je les hais, j'ai une forte propension à changer d'humeur sur l'instant.

– Messieurs, madame, vous nous attendiez ? leur demande René de sa voix inimitable, toujours égale, aimable, dans une attitude presque chinoise.

Tandis que la beauté n'a pas entendu – ou compris – René, les deux hommes se redressent dans un seul mouvement, ils veulent se lever, ils sont gros et lourds, massifs, ils soufflent fort par les naseaux qui sont leurs narines. Leurs sourires obséquieux se confondent dans la graisse de leurs joues.

Je les ai détestés immédiatement, et maintenant leur physique m'écœure, j'ai des envies de meurtre. La drogue qui insiste maintenant en sens contraire sur mon esprit ne favorise pas mes bons sentiments.

– Je vous en prie, asseyons-nous, continue René.

Les Nigérians écroulent leurs grosses fesses dans un bruit de baudruche qui se dégonfle. Leur compagne – je ne sais comment l'appeler – n'a pas bougé, ni même battu du cil, ses yeux fixent un point lointain. Seul break à ce comportement, elle trempe le bout de ses lèvres dans son whisky et laisse une trace grasse de rouge sur le verre. C'est donc une femme libre. Tout ce manège sent le cul, le cul sale. Comme s'il n'y en avait pas assez !

Le barman pose nos verres à côté des leurs. Je suis nerveux. Je me précipite sur mon verre, je ne fais même pas mine de trinquer ou quoi que ce soit, et avale mon mélange d'un coup sec. Aussitôt, je remplis mon verre vide à leur bouteille. Dans mon élan je vais pour un deuxième shot, quand René me pose la main sur le bras en signe d'apaisement. Il a saisi ma lune, je me reprends.

– Does anybody among you speak french ? talké-je like this à leur endroit.

– Bien sûr monsieur, parlons français ! Je traduirai fidèlement vos propos, me dit l'un des deux hommes dans un français d'universitaire.

René prend en main celui qui m'a répondu impeccablement, avec une pointe d'accent British tout de même, et sous le tour d'une conversation badine, le soumet alors à un véritable interrogatoire qu'il mène bon train, neutre et bienveillant. Combien de passeports ? De quel(s) pays ? Quel(s) type(s) de visa(s) ? Quel rythme de livraison ? René est concis, synthétique et clair dans ses questions. Il laisse juste le temps à son interlocuteur de traduire ses dires. Puis reprend son flot parfait de précisions et d'indications. J'écoute chacun de ses mots. À la suite de René, nos clients se mettent à parler et nous renseignent sur leurs activités, leurs commerces et leurs affaires.

– Nous, nous faisons les filles, voyez-vous, depuis deux ans, une première année chez nous, au Nigeria, bon, nous dit-il. Maintenant, nous nous installons en Côte-d'Ivoire, il y a des filles de partout ici. On dit même que l'on peut trouver des Blanches pour pas très cher !

Il se marre franchement, la mâchoire béante. Toutes ses molaires sont cariées.

Merci les gars, pensai-je, pas besoin de nous faire un dessin. Comme nous nous en doutions, nos gars dirigent une filière de traite des putes. Ils ont de l'ambition, apparemment. Ils veulent quarante passeports sur trois mois. Des passeports nigérians, de femmes, ça nous l'avons bien compris, et autant de visas pour l'Angleterre. Leurs petites vont tapiner, et se shooter aussi certainement, sur les trottoirs de Londres, de Liverpool ou de Manchester. Nos cocos nous ont assuré être définitivement établis à Abidjan et résider aux Deux-Plateaux. Je les crois sincères. S'ils habitaient Lagos, ils ne nous demanderaient pas de passeports nigérians, étant nigérians eux-mêmes. Ces types-là ont sans aucun doute déconné chez eux. Des concurrents doivent chercher leur peau pour les écharper. Tout est possible. Mais tout ça ne me regarde pas, encore une fois, je n'en ai d'ailleurs aucune curiosité. Je m'en fous.

René commence à baver discrètement sur la salope, je le connais, les formes débordantes l'attirent. Mais l'objet de ses fantasmes semble ailleurs ; hors de tout ça, elle trône. Nous n'avons pas entendu sa voix. Les Nigérians ne nous l'ont pas présentée, nous ignorons jusqu'à son nom. Seul signe de possession, les deux hommes lui ont tour à tour touché le haut des cuisses, crochant leurs doigts ronds dans sa chair.

Ces mecs me dégoûtent, putassiers, atroces, se croyant intelligents et drôles, des macs de la pire espèce, de la merdasse. Mais qu'espérais-je encore une fois, rencontrer les plus brillants poètes de toute l'Afrique de l'Ouest ? Les poètes se font rares. Et qu'aurais-je, moi, à leur raconter aux poètes, ma vie, le business, les femmes, la baise, la drogue, la bière et le whisky ? Il est vrai qu'ils ne sont pas les derniers à apprécier tout ça.

René continue son speech commercial – il sait très bien camoufler ses affects –, il négocie les délais, fixe les dates et les heures de nos prochains rendez-vous. Nous donnons nos prix. René me fait plaisir en leur faisant le prix fort. Silence quelques instants, puis les Nigérians parlent dans leur langue – je ne comprends rien – mais finalement ne discutent pas nos tarifs. Nous prenons une large avance sous la table. Allez hop ! les billets changent de mains, et vont directement dans nos poches.

Le Nigérian parlant français se penche vers moi :

– Deux versements, celui-là et le compte à la fin de l'opération. Nous vous faisons confiance cette fois, vous ferez de même la prochaine fois.

Pas si con que ça.

– Deal, répondis-je, un peu malgré moi.

En suivant, ils se font tous les deux familiers avec nous, et l'interprète nous tutoie maintenant, ils partent dans des rires gras et abominables, ils nous invitent au restaurant pour sceller notre amitié, et puis nous payer une orgie au Maquis Sans Slip, le bar le plus salope d'Abidjan, où les filles, comme le nom de l'endroit l'indique explicitement, servent les clients, la chatte à portée de doigt ou de bouche, de bite, sans préliminaires aucun, en un rien de temps.

Nous refusons – notre subconscient dépravé, la présence de la fille nous invitent pourtant à la pire saleté –, il ne faut pas pousser, tout de même. René est carrément collé au cul de leur accompagnatrice, sans doute la croyait-il cadeau.

Oui, dans l'état psychologique, drogué et maintenant

pas mal alcoolisé, dans lequel je suis, j'irais bien me faire une putain, une fille cassée, sur le bout de trottoir ébréché d'une avenue noire. Alors je pense à Saint-Ange et, quelque part, je me marre.

Nous quittons le bar, Marcel est occupé avec des clients, je ne sais pas ce qu'ils marchandent mais la conversation est virulente. Marcel nous voit sortir du coin de son œil pété, il nous salue entre ses dents.

Dehors la vie est agressive. Les phares des taxis, la musique dans les bars, les vieux Mauris se lavent les pieds et prient... Le reggae monte des maquis et envahit la rue.

— Tu crois qu'on peut faire confiance à ces connards ?

— Franchement, je n'en sais rien, on verra bien, qu'est-ce que tu veux que je te dise ? me répond René.

— Je ne leur sucerais pas la queue, dis-je trivialement.

René m'adresse un regard de reproche, il n'aime pas mon expression.

— Et leur gonzesse ? Une poupée gonflable grandeur nature.

— ...

— Bandante ? hein, René ?

Je le cherche.

— Ta gueule, me répond-il, tranchant.

— Ah ! ah ! ah ! ah ! ah ! ah ! ah ! ah ! ah ! ah !

Et mon rire de connard vomit dans la nuit.

Je suis fatigué d'une fatigue sans fatigue. Écroulé sur le canapé, décontracté, je laisse mon corps aller. Je pense la tête vide, absente. Rasta et poète – enfin poète j'aimerais bien –, bandit et truand, petit truand en fait, toujours au bord du minabilisme, don Juan de Série Merde – et pire : sûrement content de l'être –, Clyde de caniveau, je suis dans un monde parallèle, informel.

René est dans sa chambre. Que fait-il ? Il dort, il s'écroule, il se branle des images de grosses fesses dans la tête ? Les trois en même temps ? Il réfléchit, lui aussi ? Comme moi, dans son esprit défile le film de sa vie. Et parfois il pleure, mais il rit, de temps en temps je l'entends. Qu'entends-je vraiment ? Quels cris dans mon silence ?

Bien sûr je fume un joint et, dans ma raideur, je continue mon récit.

*

Le dernier aspect de « New York » n'est pas celui dont nous sommes le moins fiers, René et moi. Alors « New York », squatté vraiment ? À n'en pas douter.

À ce niveau de mon roman, l'histoire de « New York » est intimement liée à celle de René, elle est indissociable de son histoire pourrie.

Une parenthèse doublée d'un léger retour en arrière, un peu de civilisation, de socio-ethnologie devrais-je dire, s'imposent et sont nécessaires à la bonne compréhension des choses. On me pardonnera cette digression – elle est loin des trafiqueurs peut-être, mais notre vie est un constat de magouilles, un cumulat d'événements divers et bordéliques –, elle est indispensable.

Comment nous sommes-nous incrustés ?

Le cadre, les événements, les personnages, l'action, conclusion :

Il y a quelques années, la compagnie aérienne Air Afrique était encore gérée par un Africain, un incapable, élu en conseil d'administration véreux, et représentant les États membres (Congo, Gabon, République centrafricaine, Togo, Bénin, Côte-d'Ivoire, Burkina Faso, Mali, Sénégal, Mauritanie) participants et actionnaires. Sous la direction folklorique de ce monsieur dont il faut taire le nom et surtout ne pas se souvenir de lui, Air Afrique subit une catastrophe de déficits incontrôlés et incontrôlables, un marécage de népotisme et de concussion, un pourcentage carrément risible de billets et de fret gratuits ou vendus à vils prix, un service commercial plus proche de la cour de récréation que du minimum de sérieux requis pour une telle charge. Tous ces éléments, secrets de Polichinelle, ont répandu dans l'opinion toute une foule de pseudonymes pour la compagnie, tous plus réjouissants les uns que les autres, Air Peut-Être, Air Tacot, Air Magouille, Air Mes Couilles, et j'en passe... Moi, j'ai toujours apprécié Air Afrique, je ne me suis jamais plaint de ses horaires décalés, de sa population tapageuse et de ses hôtesses en boubou, de ses plateaux-repas à la sénégalaise, de l'odeur de la gandja passée en contrebande par cartons pleins, et consommée allègrement pendant les trajets par les groupes de musiciens rasta en tournée. J'ai moi-même bien fumé et, sur certains trajets, profité de tarifs préférentiels défiant toute concurrence.

Dans le marasme qui découle de cette politique rock'n roll, la France intervient. Elle en a marre de dépenser son argent pour combler les trous, et place un homme de Paris à la direction de l'entreprise pour mettre en place un plan de redressement dont les Français sont maintenant des spécialistes reconnus. La France, modèle de gestion claire et transparente, de justice et d'équité, mère de toutes les patries, exemple éclairé, inaltérable étalon de liberté, d'honnêteté, de démocratie... La France, à l'image de son égérie Bernard Tapie, reprend les choses en main. Oui, je ne le dirai jamais assez : « Vive la République ! Vive la France ! »

\*

Justin-Joseph MALONGA, Congolais pure souche, lari comme René, bourru et antipathique – ce n'est pas le cas de mon ami qui représente, lui, la gentillesse personnifiée –, a passé sa vie à se faire chier dans l'existence.

Il travaillait pour Air Afrique, comme cadre de maintenance au sol ou quelque chose comme ça. En fait, je n'ai jamais bien compris en quoi consistait exactement son boulot. Toujours est-il que – en tant que personnel déplacé, du Congo à la Côte-d'Ivoire en l'occurrence (mais ces explications ne m'ont jamais vraiment convaincu), « New York » – qui ne s'appelait pas encore

« New York » à cette époque – était son appartement de fonction, gratuit apparemment. Je ne sais pas, non plus, par quel piston il a pu en profiter – l'homosexualité étant peu répandue ici, je ne pense pas qu'il ait donné son cul à son patron. Ni quelle fortune il a pu dépenser pour soudoyer, obtenir. Si fortune il y a. Ce dont je doute. Je pense d'ailleurs que son humeur massacrante doit être liée à des dettes ou à un pacte, à une créance atroce. Peut-être, après tout, a-t-il, tout simplement, fait tourner un lot de petites filles expertes à son supérieur hiérarchique, le Chef du personnel et des avantages. Tout est dans le sexe profond des femmes, surtout quand elles sont très, très jeunes. Voilà ce que veulent les salauds.

Cette dernière explication, concernant les gamines pour être récurrent, semble la plus plausible. Les deux premières, dont je ne suis pas satisfait, restent suspectes.

Justin-Joseph MALONGA a cinquante-trois ans, les petites pépées, il les aime un peu grosses et paie largement, les soucis d'argent inhérents à toute sa perversion, l'ennui total à Abidjan, un fil mystérieux qui le lie pourtant à cette ville, la nostalgie primitive de Brazzaville, de ses vieux parents, de son coin à Moungali, Plateau-des-Quinze-Ans...

Justin-Joseph ne parle pas. Tout juste marmonne-t-il, face aux buildings, les yeux vides mais tout d'un coup fiévreux, entre ses dents de mauvaise qualité :

– Je déteste ce pays de merde, je déteste mon boulot de merde, je déteste cette ville de merde, je déteste, je déteste, je déteste...

Et ainsi des heures durant. Il ne sort pas. Il reste comme ça, des soirées entières, debout, devant la fenêtre, les mains crispées dans le dos, névrosé, malade.

Le destin de Justin-Joseph est une espèce de descente aux enfers qui s'apparente à celle de René, c'est vrai, mais Malonga est un type mauvais et dégénéré, quand mon ami n'a lui, humainement, vraiment rien à se reprocher.

Justin-Joseph fait monter des filles, les baise vite et salement, en grognant. Quand on est dans le salon, c'est affreux, on l'entend. Il ne leur donne pas à manger, mais rien que des billets.

Justin-Joseph est désagréable, malotru, rustre, il n'est pas chaleureux, ce qui pour un Congolais est un cas d'espèce rare et étonnant, une exception. Il accueille mal les gens qui passent à la maison, il n'a même pas la politesse de proposer un verre d'eau au cousin qui vient le voir.

Malonga est moche, petit, trapu, il ne sent pas bon, ne se lave pas, sa sale gueule est plus ou moins vérolée, ses joues sont crevassées, son front plein de boutons. Il n'aime pas. Rien.

Il déteste sa vie, sa vie le déteste.

Par solidarité ethnique – asocial certes, Justin-Joseph ne peut tout de même pas y échapper –, il héberge René à un moment où les affaires vont très mal, René est en pleine histoire de Bibles et se donne du mal pour pas grand-chose.

Mon ami René est bien le seul à pouvoir glisser sur le caractère détestable de Justin-Joseph, le seul à pouvoir vivre avec lui sans lui casser la gueule sur-le-champ. René possède cette faculté que j'admire – moi je m'énerve tout de suite et je veux frapper – de supporter tout et tous sans s'énerver, avec calme, bonté et courtoisie. Question d'éducation sûrement.

95

Conjonction de circonstances, signe malin, hasard ? Au même moment, à peu près un mois plus tard, la restructuration d'Air Afrique est décidée. De son gros pied velu, la France écrase l'institution corrompue sur laquelle s'abat une vague, une barre d'écume, un ouragan, un typhon de licenciements. Licencier, tout le monde le sait, est toujours la première action d'un nouveau repreneur. Du jour au lendemain, le personnel est compressé de 40 %. Partout dans le monde, des bureaux et des représentations sont fermés sans autre forme de procès, et des services (maintenance, sécurité) sous-traités. Abidjan, la plupart des ateliers sont sacrifiés. Justin-Joseph, plus parasite qu'utile apparemment, se voit proposer de démissionner. Il n'hésite pas, négocie un départ à la retraite anticipé. Il touche le pactole, 20 millions, la France reconnaissante. Voilà comment se débarrasser des gens.

À peine l'argent parvenu dans sa poche, Malonga se fait braquer mochement. Comment ? On ne sait pas. On le retrouve seulement grillé à l'essence, embroché par le trou du cul, à une potence, dans un terrain vague, à la sortie d'Abidjan, entre Abobo et Anyama. Victime de simples malfaiteurs, de ces fameux créanciers secrets dont je parlais tout à l'heure, d'une mafia, d'un complot, d'un coup monté ? Allez savoir, il se passe tellement de choses étranges ici, cela dépasse tout entendement. La mise en scène de sa mort nous fait imaginer le pire. Sans attaches, sans famille, sans amis, Justin-Joseph Malonga disparaît. Bon débarras, il faut l'avouer. Voilà René seul dans l'appartement.

Et, enfin, pour parachever le chef-d'œuvre d'une magouille que nous n'avions même pas sollicitée, pas imaginée un seul instant, écoutez ça : dans le bordel de la reprise d'Air Afrique, les discussions, les plans de sauvetage, le désespoir des employés mis au chômage, quelques grèves dures, spontanées, violentes, la peur bleue – et les jaunes – d'être le prochain dans la charrette, dans le micmac, le méli-mélo, les déclarations, la forfaiture, les liquidations judiciaires, les redressements, les décisions contradictoires, dans l'audit ahurissant de la compagnie – une comptabilité quasi occulte essentiellement constituée de caisses noires – dans les pots-de-vin, les arrestations et les mises en examen, les notes de frais qui sont autant d'hallucinations au LSD californien, les prud'homaux et les cessions, la nouvelle direction d'Air Afrique laisse passer quelques anomalies – oh des tout petits poissons, des sardines – dans les mailles de son filet. Une partie de son fichier concernant le parc immobilier, à savoir les localisations et les actes des sis appartements et maisons leur appartenant est manquante. La nouvelle direction d'Air Afrique se trouve incapable de répertorier ses biens.

Malonga n'est plus là, Air Afrique est désengagé sans le savoir vraiment. Et « New York » passe à l'as. Déjà incrusté alaisement, René prend racine, plante ses trois chemises dans les placards, sa brosse à dents sur la tablette de la salle de bains, son réveille-matin sur la table, ses tongs devant la porte. Il garde le mobilier, change la serrure et les clefs. Le voilà propriétaire d'un magnifique appartement au Plateau, au milieu des bureaux et des ministères, des ambassades, des banques. Un appartement comme un spectre, une ombre, sans quittances, sans réalité, triché, sans papiers, amusant clin d'œil à la vie qui fut immédiatement la nôtre ici, « New York ».

René m'invite. Il n'aime pas vivre seul, je le comprends, moi non plus. Nous sommes chez nous. Échange de bons procédés, je le convie à participer avec moi à l'opération « visas, passeports, papiers en tout genre ». Il accepte sans se faire prier un seul instant.

Je connaissais déjà bien la maison pour y être passé quelquefois visiter René ; alors je rencontrais Justin-Joseph, quelques-unes de ses femmes, dont Irène, un « passage » qui s'attardait curieusement depuis trois jours, et que je baisai assez salement un peu plus tard.
L'appartement me convient, ce n'est rien de le dire ! Je débarque à mon tour mes petites affaires. Je constate d'ailleurs à cette occasion que mon vestiaire est bien fourni. Amidou aime la sape ! disent de moi mes amis. Néanmoins, mon installation prend vingt minutes montre en main ! Au-delà de mes boubous, de mes tuniques, de mes tchayas, je ne possède rien.
D'entrée, la cohabitation Amidou Diallo-René Mwanga est une réussite. Les joints que je fume en continu ne gênent pas René. Il conçoit la vie de la même façon que moi, au même rythme. J'accepte son caractère, sa façon de faire le soir et le matin. À chacun ses tics, n'est-ce pas ?

Squatteurs, incrusteurs, aventuriers, chômeurs évidemment, trafiqueurs, nous nous retrouvions à la tête de ce superbe loft que je m'empressai de baptiser – j'ai le don de donner un nom à tout – « New York ». Pour la poésie. À la folie. Ce jour-là, nous avons sablé le champagne, nous en avons bu deux bouteilles, René et moi, les bulles me sont montées à la tête et je me suis mis dans le nez trois bons grammes de cocaïne achetée à

Yopougon, j'étais speed, j'étais content. La vie redémarrait vraiment.

« New York » à Abidjan, tout en hauteur, face aux buildings, à l'envers du ghetto, nous y étions. Princes du ciel et de la terre, princes de l'eau, de l'univers, princes de la merde et de l'enfer ! « New York », nous vivons près des étoiles, nulle part en fait, sur le toit de la planète – je crois même distinguer la rondeur du monde – entre air et terre, la mer au loin, la lagune toute proche de moi, sous le ciel d'Abidjan.

Notre appartement devenait le ressort, l'axe, Abidjan-New York, une métaphore, un face-à-face, un symbole, une ironie.

« New York », au bureau. Nous travaillons. On bosse.
C'est du boulot.

Tous les jours, sauf les samedis et dimanches, que
nous réservons à un repos bien mérité, nous recevons
nos clients, les particuliers (nous nous déplaçons au
Treichôtel, on l'a vu, question de sécurité, pour les
business en gros), de 14 h 30 à 17 heures précises, sur
rendez-vous exclusivement. Nous sommes tout à fait
exigeants sur la ponctualité, nous n'acceptons aucun
retard de nos clients. Sans ce précepte, ils auraient
tendance à être négligents sur l'heure. Ce qui aurait
tendance à m'énerver franchement.

Notre planning est chargé, ainsi, tous les après-midi
de la semaine, défilent chez nous toutes sortes de gens,
de tous âges, hommes, femmes, enfants, vieillards, en
partance pour l'Occident, exilés volontaires de toutes
couches sociales, de toutes nationalités, de toutes eth-
nies.

Toujours sérieux et civils, nous faisons les choses bien.
C'est un point d'honneur. Nous sommes courtois et
déférents dans l'accueil, nous offrons de l'eau, du Fanta

ou du Coca-Cola aux musulmans, de la bière aux chrétiens. Notre frigidaire est toujours plein de boissons.

En installant nos clients avec nous à la table à manger, nous les mettons à l'aise. Il n'y a aucun rapport de force ou de pouvoir entre eux et nous. C'est mieux comme ça, plus sympathique également. D'ailleurs, je ne nous vois vraiment pas derrière un bureau.

Nous tenons beaucoup à ce que nos clients nous considèrent comme des gens convenables. Nous ne sommes ni douaniers, ni agents administratifs, ni policiers. Que Dieu nous préserve, comme des médecins, des avocats, des hommes d'affaires, de ces atroces métiers. Trafiqueurs, nous sommes proches des gens.

Droits comme des i, et un peu gênés le plus souvent, nos clients s'assoient sur leurs chaises face à la verrière nord, c'est-à-dire face aux tours et au glamour. Nos clients nous félicitent pour la qualité du panorama. Certains, plus timides, restent très impressionnés par l'environnement dans lequel ils sont projetés. Cette vue fait son effet, elle fait même rêver, ou cauchemarder, à tous coups. Quand on la voit une fois, la première fois, elle suscite un sentiment puissamment favorable ou, bien au contraire, de répulsion immédiate, toutes émotions confondues, un sentiment de fin en soi et de sublime, un sublime philosophique où le trouble de la peur rencontre la beauté. Je me permets ici de vous renvoyer à un texte de Kant que j'ai lu dans ma jeunesse (une référence culturelle ne fait jamais de mal) et qui, si j'ai oublié le titre de l'ouvrage, reste un souvenir fort dans ma mémoire.

Face nord, la verrière allume ses feux ; c'est à contempler cette vue et sa puissance, obligatoire, chaque jour, que l'on comprend l'angoisse, prégnante, pressante, rapide et continue qu'elle impose. Les buildings et les tours nous regardent et nous voient, ils sont les seuls témoins, muets, impuissants mais terriblement présents, de notre labeur, de notre combine désespérée.

Nous étudions les dossiers de nos clients avec eux, c'est un débat commun, ouvert, qui se soucie de l'anecdote, de la petite histoire de femme ou de village, une conversation facile et non un interrogatoire, j'insiste. Nous obtenons ainsi la confiance de nos interlocuteurs, ils se détendent, n'hésitent plus à réclamer à boire. J'offre une cigarette, puis je laisse traîner le paquet, je vide le cendrier plein. René chausse ses lunettes de précision – eh oui, l'âge René ! Il questionne les gens de sa voix douce. La confiance mutuelle est indispensable au bon déroulement de notre travail. Chacun des partenaires doit connaître la juste mesure de la difficulté à atteindre les objectifs fixés, et les délais. Il faut souvent attendre un mois avant d'avoir des nouvelles concrètes de notre part. Nous avons de nombreux dossiers à traiter. Nous ne négligeons absolument personne. Une totale rigueur, une grande froideur sont les conditions *sine qua non* pour ne pas se planter ou se faire griller, se découvrir. Pas question pour moi de me faire repérer, voire de me faire barrer l'accès à l'ambassade de France par exemple sous prétexte d'un document trop violemment falsifié, ou d'un dossier de demande de visa présenté incomplet, la France est mon plus gros poisson on le sait. Je ne peux pas me permettre une interdiction de séjour chez les Français, c'est clair.

Plus que notre réputation, notre gagne-pain est en jeu.

La France est la destination de préférence de nos clients. En effet, pour un Abidjanais, un Ivoirien, pour un Burkinabé, un Malien, un Guinéen, un Sénégalais, un Ghanéen, un Libérien, un Tchadien, pour un Mauritanien, un Équato-Guinéen, un Camerounais, un Congolais, un Zaïrois, la France, c'est l'Amérique, la Terre promise.

La tendance actuelle est donc au départ pour la France, un départ que justifient les bons comptes du pays frère, du pays mère, du pays ami. Cependant, il faut noter que cette tendance se conjugue avec une haine – obstinée, modérée ou féroce, la haine n'est jamais absente du fond du cœur de nos clients – pour le pays d'accueil. Nos clients veulent se faire un maximum de fric, régulariser leur situation éventuellement, mais si, en plus, en s'agitant politiquement, socialement ou par leur simple présence sur le sol de la Révolution, ils peuvent foutre le bordel, ils sont ravis. Ils ne demandent que ça. Douce vengeance. Avant même d'être partis, les plus clairvoyants parlent de leurs problèmes futurs.

Pour le bordel, je suis bien d'accord avec mes clients les plus offensifs. J'abonde dans leur sens, René hoche la tête, sa moue en dit plus long que n'importe quel discours. J'insiste sur ce concept exclamatif et à l'impératif : foutre le bordel ! C'est le moindre et juste retour des choses. Les Français nous ont tellement fait chier ici. J'ai des idées politiques très arrêtées sur le sujet.

À leur place, je ferais pire encore, je le sais, j'investirais mes allocations familiales, mes droits ASSEDIC, dans le trafic de drogue. J'ai un ami à Paris, 78, rue des Grands-Champs, dans le 20e arrondissement, le plus joli, Jean Malin, un bon Français – son père est de Villemomble (93), chemisier-bonnetier, sa mère de Lyon –, qui applique ce raisonnement au quotidien. Ça marche pas mal, m'a-t-il toujours assuré. Jean Malin perçoit difficilement 3 500 francs de maigre chômage par mois qu'il fait fructifier dans le commerce de la paraffine, un édulcorant de haschich synthétisé au pétrole brut, une spécialité parisienne, à ce qu'on dit. Les Français n'ont jamais su fumer, ils avalent de la merde pour se défoncer, de l'herbe frelatée, du shit pourri au henné qu'ils mélangent et filtrent au tabac de leur Camel ou de leur Marlboro. Quelle faute de goût !

Pire encore dans mon action de déstabilisation, j'enverrais tous mes cousins se faire soigner gratis sur ma carte de Sécurité sociale ! Déchaîné ensuite, je me marierais à une Française d'origine arabe et je voterais ! Je voterais bien pour le parti communiste, mais voter communiste ne fait plus bondir personne. C'est malheureux. Cuba, je pleure sur toi. Plus d'utopie, plus de poésie, plus d'espoir, la jungle. Le marché est roi, nous en savons quelque chose. Dernier rempart contre le fascisme et le nationalisme exacerbé, le Mur est tombé. Un pas en avant dans la conquête de la liberté et, immédiatement, dix pas en arrière, telle est la loi en Occident. Ce qui me rassure, c'est que cet Occident décadent et paranoïaque n'est plus chrétien pour très longtemps.

Certains de nos clients, des gars malins, nous la jouent fine. Il s'agit surtout d'étudiants, de pseudo-intellectuels, de ceux qui sont allés un peu à l'école, des jeunes, des artistes, des musiciens, ou se prétendant tels. Ils nous demandent, mine de rien, des visas pour la Suède, l'Autriche, la Pologne (bon courage !), l'Italie (bien que les Italiens commencent à se faire tirer sérieusement les oreilles par leurs collègues européens pour leur propension à distribuer, à l'emporte-pièce, des coups de tampons sur les passeports, sans se soucier le moins du monde de l'authenticité de la pièce présentée, et sans être trop regardants sur les conditions supposées obligatoires d'entrée dans le pays. Du laxisme pur et simple. J'ignore pourquoi, mais ils aiment bien les passeports sénégalais par exemple, et leur sourient avec leurs cachets).

Les visas pour l'Italie, la Suède, la Pologne, etc., sont moins chers et plus rapides à obtenir, car plus aisés à détourner. Personne ne se presse à la porte de ces représentations confidentielles. Aux heureux élus de se débrouiller ensuite pour passer les frontières intercommunautaires, ils les traverseront à pied par des chemins détournés, planqués dans le coffre d'une voiture ou dans les chiottes du train. Pour ceux-là aussi la destination finale reste Paris. Sauf si, en route, à Stockholm, à Varsovie, ils rencontrent une belle blonde du cru spécialiste de la baise et du cul.

Nous dressons à nos clients une liste exhaustive des documents à nous fournir pour le traitement de leur dossier, extrait de naissance, livret de famille, acte de mariage ou de divorce, bulletins de salaire (très rares ici), photos d'identité (obligatoires)... Une fois le dossier dûment complété, nous nous chargeons de l'obtention du visa et/ou du passeport. Mais nous nous occupons aussi des éventuelles pièces manquantes. Rien de plus facile pour René que d'obtenir une attestation de scolarité, une domiciliation bancaire, etc. Quant à moi, je me procure de faux certificats d'hébergement français, le cachet trafiqué de la poste faisant foi.

Sur nos conseils, nos clients nous apportent tous les papiers officiels en leur possession. Sur la table, c'est un déballage sans fin de documents administratifs de toutes sortes et de toutes formes. Nos clients ne lésinent pas, tout peut servir. On nous amène des papiers coloniaux d'époque, de véritables pièces de musée, datant du temps de l'Afrique-Occidentale française, précieusement conservés. Des calligraphies superbes, rondes et larges, des frappes de machines ancestrales, des signatures à la plume les décorent... Certains clients nous présentent les états de service militaire de leurs pères, grands-pères, et même arrière-grands-pères. Alors défilent, au garde-à-vous devant nous, inertes et fières, croix de guerre 14-18, croix de guerre 39-45, Légions d'honneur bien sûr, cartes d'anciens combattants, reçus de pensions d'invalidité ou de blessé, cartes de résistant, avec le nom du maquis, de FFI. Je me souviens d'un client, un très vieux monsieur, me racontant avec moult détails la libération de Paris, il s'enflammait le vieux, mimant les combats dans les rues, la victoire finale et l'accueil formidable des gens, les drapeaux aux fenêtres, la haine des Allemands...

Nous en avons vu, des papiers délirants et magnifiques ! Un jour, je trouvai même – il faut s'attendre à tout –, glissée en intrus dans un dossier que l'on me soumettait, une carte de la CGT datant de 1932 ! Que j'embrassai au grand étonnement de mon client. Il imaginait voir là quelque rite sorcier, je pense.

Point positif de notre travail, nous nous instruisons. C'est toujours ça de gagné. L'histoire se reconstitue devant nos yeux – nous pourrions écrire un livre –, son évolution vivante, désordonnée, l'histoire de France et de ses colonies, implacable dans ses erreurs, claire dans ses injustices. En toutes circonstances, la France n'a pas été avare de médailles. Peut-être les Français se rattrapent-ils de celles que leurs sportifs sont incapables de gagner aux Jeux Olympiques ou même aux Championnats d'Europe. Un nombre impressionnant de décorations circulent entre nos mains. Leurs propriétaires y sont très attachés.

Nous tentons de mettre de l'ordre dans tout ce fatras de paperasseries, ce n'est pas chose facile, ni d'expliquer pourquoi une croix de guerre 14-18 et deux oncles tombés au champ d'honneur à Verdun ne donnent pas droit, mais alors pas du tout, à un beau visa parisien. La loi du sang.

– Mon sang est dans la Marne et en Alsace! au Chemin des Dames! me dit un jour le fils d'un chef coutumier mort depuis longtemps, ancien élève de l'École des Otages de Dakar. Et comme il a raison!

*

Notre petite organisation est très au point et très pensée, ainsi pour éviter toute mauvaise surprise – braqueurs, flics en tout genre, racketteurs, et, d'une façon générale, tous les emmerdeurs –, le gardien en bas nous prévient des arrivants. Nous l'avons équipé, il est fier comme Artaban, d'un bipper Motorola communiquant avec les nôtres. C'est à lui que nous donnons les autorisations d'entrer à ceux qui nous demandent, c'est à lui que nous disons oui ou non, et c'est lui qui laisse passer ou interdit l'accès. Pas un connard jusqu'à présent n'est parvenu à franchir l'obstacle. Nous le bakchichons largement pour ce service. Il nous adore. Nous sommes pour lui, indifféremment René ou moi, ses patrons, dans le sens noble du terme. Des patrons que l'on respecte, un comble! Nous nous félicitons d'ailleurs des compétences de notre gardien, de son autorité, de son intelligence, du zèle qu'il met dans sa fonction. Son œil bénéficie d'une acuité particulière et repère immédiatement les véreux qu'il déteste. Aux aguets, toujours méfiant – il faudrait lui passer dessus pour le déborder –, Coulibaly Mory, c'est son nom, est un type efficace et solide, nous pouvons vraiment compter sur lui. Il est grand et costaud, un videur de boîte de nuit. Au rugby, il jouerait troisième ligne aile côté fermé ; il chasse le demi de mêlée, contre les attaques adverses, il chope les balles en fond de touche, bouche les couloirs, rien ni personne ne franchit nos lignes. À l'instar d'Aïssa, Coulibaly Mory est burkinabé, forcément, il est de Bobo, dioula. C'est un bosseur, jamais il ne se relâche, ou ne se laisse aller. Pour l'intérêt de son boulot, il est capable de jeûner sans sourciller. Coulibaly est résistant, il multiplie les siestes discrètes et réussit à ne dormir jamais, constamment en éveil. Nous ne lui en demandons pas tant. Coulibaly Mory aime se sentir utile et concerné. Si tout le monde travaillait comme lui, la terre en tournerait nettement plus rond.

Coulibaly Mory ne monte jamais à « New York », une clause du contrat tacite que nous avons passé entre nous. Chacun à sa place et les choses vont pour le mieux. Non par ostracisme envers lui, mais, encore une fois, pour des raisons sécuritaires.

Nous nous servons exhaustivement de nos bippers Motorola, de la bonne came, merci Motorola pour ton matériel compétitif. Tous les messages, tous les noms, tous les rendez-vous, toutes les informations de l'extérieur, immédiates et sans délais, Coulibaly pianote sur son petit engin, et nous voilà renseignés. Ce petit ustensible, fiable, fidèle, est vraiment très pratique. Il remplace avantageusement le téléphone et ne coûte pas trop cher.

L'un dans l'autre, nous y trouvons notre compte. Je n'hésite donc pas à en faire la réclame. Enfin une publicité honnête !

Nous causons peu avec Mory, quelques banalités sur la pluie, le beau temps, les femmes, pendant cinq minutes au pied de la tour. Question boulot avec lui, nous faisons très vite, nous lui donnons des instructions précises qu'il suit à la lettre, nous lui versons ses émoluments ponctuellement. Jamais de discussion.

Coulibaly Mory essaie de draguer Aïssa, mais sans succès, il lui fait des courbettes, la petite ne le regarde même pas, elle passe devant lui la tête haute, oui Coulibaly Mory peut toujours courir. Concernant les amourettes et le sexe, Aïssa n'est vraiment pas une fille facile, Aïssa ne fond pas, son mari elle l'attend comme on attend un prince charmant.

Coulibaly Mory ne correspond pas exactement à l'image qu'une jeune fille peut se faire du prince charmant : il peut avoir tous les âges, toutes les vies, il ne parle pas volontiers de lui, il s'en tient à son rôle, entier, dévoué. Sa seule petite faiblesse, c'est Aïssa, et encore, il bande pour elle, voilà c'est tout, je ne suis pas persuadé qu'il mourrait d'amour pour notre petite bonne muette.

Je trouve à Coulibaly Mory un vague air de ressemblance avec un acteur Black américain des années 70, Richard Roundtree, le fameux John Shaft, Fred Williamson ou un autre, je ne me souviens pas bien, c'est un peu flou, comme un film pourri, une série Z.

Quand je lui parle de Coulibaly Mory acteur de cinéma, René me regarde avec des yeux ronds. Il ne voit pas vraiment ce que je veux dire.

Avec Coulibaly comme ultime associé, nous formons un curieux gang et de drôles de gangsters, René, Aïssa,

Brigitte et moi. Curieux complices, en effet, René le bon gars, Amidou le rasta, Brigitte ses gros seins, ses grosses fesses, Aïssa la muette, et enfin, Coulibaly Mory en bas, curieux destins.

Nous fonctionnons comme un cabinet dentaire, d'avocats ou d'hommes d'affaires – nous pratiquons les mêmes horaires –, sauf que nous ne sommes bien sûr ni avocats, ni dentistes (ni même médecins ou infirmiers), ni hommes d'affaires. Nous sommes des trafiqueurs de papiers. Un nouveau métier à la mode, propre, correct et rentable. Qu'en penser ? Surtout, ne pensez rien. Rien à penser. Ramasser.

Nous sommes des trafiqueurs, des artisans, des petits salauds, sûrement. Mais nous ne sommes pas manchots, loin de là, ni plus cons que d'autres. On produit. Je vous assure, nous en fabriquons des immigrés, des vrais, des faux, nous faisons tourner les papiers comme tournent les baguettes, les pains au chocolat, les croissants au beurre dans une boulangerie de Paris. Chauds ! chauds ! les papiers ! Ils nous brûlent les mains.

Oui, nous en fabriquons des immigrés, à en devenir parfois une industrie, surtout ces derniers temps, et sous un certain angle c'en est même inquiétant. Et, n'était l'extrême discrétion obligée qu'implique un tel métier, nous engagerions une ou deux personnes pour nous aider. Un assistant, même à mi-temps, nous soulagerait. Ah oui ! ils sont partis nos immigrés, dans tous les coins, dans tous les sens, à l'aventure de jours meilleurs, et par paquets, en Angleterre, en Belgique, en Suède, en Italie, en France, en France, en France, en France surtout, partout en Europe, partout en Occident.

Ils vont tenter leur chance là-bas, refaire leur vie,

passer le test, sans se retourner, à fond la caisse. Contrairement à ce que certains – des imbéciles et/ou des salauds, au choix – peuvent bien prétendre, c'est dur, c'est dur de vivre loin de chez soi, d'abandonner son pays, sa maison, ses habitudes, ses repères, sa famille, ses amis, c'est toujours un crève-cœur.

Et puis, ils ne sont pas tirés d'affaire les gars. Une fois leur visa expiré, nos immigrés trembleront de peur dans le métro, ils éviteront les stations République, Châtelet-Les Halles, Saint-Lazare, Belleville, Pigalle, et tous les grands changements, ils ne prendront jamais le RER – ça limite beaucoup leurs déplacements –, ils joueront au chat et à la souris avec la maréchaussée, avec les policiers français. Des policiers que de vieux réflexes vichystes rendent méchants, sournois et agressifs, taper du Noir et de l'Arabe, ils adorent ça. Certains de nos immigrés se feront prendre, enfermer dans une cage à Roissy, rapatrier de force. Je prie pour eux. Quel dieu ? Le dieu de la Chance et du Hasard, le dieu de la Bonne Fortune.

Ne pas avoir de papiers en règle ôte tous les droits. C'est injuste, mais c'est comme ça. Les hommes ne naissent pas égaux en droits, tout dépend de leur pièce d'identité. D'autres, en d'autres temps, des temps qui ne sont pas si éloignés que ça, ont connu cette misère. Les Français ont la mémoire courte.

Seront-ils bien installés, nos immigrés, dans les HLM de carton-pâte de Garges-lès-Gonesse, de Gennevilliers, de La Courneuve ou des Minguettes ? Leur deuxième puis troisième génération sonneront la révolte à l'ombre des cités, ils s'armeront de pierres, de battes de base-ball, de cocktails Molotov. J'entends déjà leur colère, je la sens, elle est évidente. À moins qu'elles ne s'intègrent, ces générations, ne se métissent, ne se fondent dans la masse obscure des gens de France. C'est tout ce qu'on leur souhaite, mais on peut en douter. Ils souffriront, c'est sûr. Ils souffriront d'être rejetés et mal-aimés. Certains, une immense minorité, se sauveront des banlieues, de leur voix retentira la vérité.

Depuis quatre ou cinq rendez-vous, nous traînons un drôle de client après nous. Il n'est pas méchant, il nous fait même rigoler, c'est un original, un personnage de fantaisie. Nous l'avons affublé d'un chouette de sobriquet : « Barbès-Clichy ».

— Alors comment va notre ami Barbès-Clichy aujourd'hui ? me lance Tchétché, les joues rouges de rire.

— Tchétché, ça suffit ! Je rigole moi aussi.

— Je sais que tu n'aimes pas que je me mêle de tes affaires — pardon Amidou, excuse-moi — mais cette histoire de « Barbès-Clichy », franchement c'est trop drôle. Elle est hilare.

René pouffe dans son coin.

— Barbès-Clichy ! Barbès-Clichy ! chante Brigitte, réjouie, dans un refrain.

Elle reprend :

— De Barbès à Clichy, j'ai visité tous les pays, et mon cœur s'est brisé à Paris, à Pariiiiiiiiis ! ! !

— Brigitte, je t'en prie, intervient René, tu chantes comme une casserole.

— Excuse-moi, c'est plus fort que moi. Tu me pardonnes n'est-ce pas ?

Brigitte se fait câline.

René embrasse sa fiancée. Mon associé apprécie. Brigitte en profite pour se remettre à chanter, Tchétché l'accompagne :

– Barbès-Clichy ! Barbès-Clichy ! revoir tes trottoirs, tes magasins et tes cinés ! ! ! Barbès-Clichy ! j'ai connu tous les pays, et mon cœur s'est perdu à Paris ! à Pariiiiiiiiis ! ! !

Brigitte est déchaînée, elle s'étrangle dans sa chanson. Tchétché n'en peut plus, elle hoquette.

– Bon, quand les Castafiores auront fini, on pourra peut-être bosser, dis-je enfin.

– Continuez comme ça les filles, la douche et les robinets vont se mettre à couler tout seuls, conclut René.

C'est un immense fou rire dans la maison.

Aïssa est pliée en deux, à cet instant elle regrette sûrement son handicap, elle couine pour se marrer. Aïssa y serait allée volontiers elle aussi de sa petite blague.

Barbès-Clichy nous a connus par l'intermédiaire d'un ex-client, un certain Ibrahima Wade, un Sénégalais, parti depuis longtemps pour Paris et dont nous n'avons absolument aucune nouvelle. Il faut dire que, tout à leurs péripéties, nos clients ne nous inondent pas de courrier. Il arrive cependant que nous recevions quelques lettres. Elles contiennent systématiquement une belle photo cadrée de travers où notre sujet – les mains sur les hanches et frimant, un énorme sourire aux lèvres, serré contre son copain ou sa copine, vêtu de ses plus beaux habits, les plus chers en tous les cas – pose devant la tour Eiffel ou l'Arc de triomphe, plus rarement en compagnie du Moulin-Rouge ou de l'obélisque de la Concorde.

Barbès-Clichy nous tend le courrier de Wade avec insistance et ostentation. Il répète ce geste à chaque rendez-vous comme un sésame. Nous n'avons pas réussi à le convaincre que son geste était inutile maintenant que nous avons lu la missive, un simple mot de recommandation pour lui à nous, pour nous à lui, accompagné d'une demi-page de politesses excessives. Pourquoi pas. Barbès-Clichy ne sait ni lire, ni écrire ce qui explique son attitude. Il ne parle pas français non plus, seuls une dizaine de mots lui sont familiers, dont ces deux fameux endroits de Paris, Barbès et place Clichy, qu'il psalmodie en continu.

– Il est grand marabout et veut faire son métier à Barbès ou à Clichy, il va gagner beaucoup l'argent, nous dit – nous tendons l'oreille à son accent de brousse, nous nous efforçons de la faire parler lentement – la toute jeune femme qui se tient aux côtés de Barbès-Clichy. Un Barbès-Clichy acquiesçant sans cesse durant la conversation, alors qu'il n'en comprend pas un traître mot.

Barbès-Clichy est un noble vieillard, grand et maigre, appuyé sur une canne, tout tordu comme une suite alambiquée de longs os. Je ne sais pas ce qu'il prend, mais le blanc de ses yeux est jaune, ses iris rouge sang. Il a l'air complètement pété, il tremble d'à peu près partout. Nous avons devant nous une espèce de surexcitation vivante qui s'agite. Son épouse – la quatrième, la sixième, la douzième ? – est une adolescente d'une quinzaine d'années – logique, elle n'a pas terminé sa croissance et ses seins ne sont pas encore pleinement arrivés à maturité – pas vilaine, pas belle non plus, assez commune. Elle nous dit s'appeler Oumou Sy, du nom de son mari Barbès-Clichy, et Gassama du nom de son père, un ami d'enfance du même Barbès-Clichy. Elle remplit déjà parfaitement son rôle de femme, son assurance en témoigne. Elle n'est ni discrète, ni effacée, je soupçonne la femme de tête sous la jeune fille. Elle a été choisie par la famille pour accompagner Barbès-Clichy à Paris. L'enjeu est de taille. La pression sur ses épaules. Oumou est face à son destin. Elle force sa chance et nous embrouille à loisir. Contrairement à ce qu'elle semble craindre, nous ne sommes pas là pour la contrarier mais pour l'aider. René tente de la rassurer. Sans succès. Oumou le regarde pratiquement comme un ennemi, ce qui chagrine mon associé. La petite ne veut rien savoir, elle passe l'examen de sa vie. Elle n'est pas là pour rigoler. Elle ne comprend pas pourquoi nous exigeons des délais pour régler l'affaire, ni pourquoi tout est aussi compliqué. Dérogeant à notre règle qui consiste à tenir nos clients au courant de tous les méandres de leur affaire, nous avons finalement décidé de ne plus rien lui dire et de ne pas nous occuper de ses inquiétudes. Nous nous limitons aux explications nécessaires à la bonne marche des choses. Elle en est plus calme et moins angoissée. Parfois cette petite peut vous rendre l'air irrespirable par la tension qu'elle émane !

– Barbès-Clichy, y'a l'argent, c'est bon ! Barbès-Clichy, y'a l'argent c'est bon ! Barbès-Clichy, c'est bon, pour l'argent y'en a, répète en boucle notre ami.

De son vrai (?) nom, Barbès-Clichy s'appelle donc Abdul Aziz el-Hadj Sy Malick. Il faut savoir que le nom d'un homme originaire de cette partie de l'Afrique de l'Ouest évolue au cours de la vie, en fonction des étapes initiatiques passées, des rencontres et des aventures, de l'opportunité aussi.

Barbès-Clichy insiste : « Hadji ! hadji ! » s'exclame-t-il en se désignant lui-même et en levant les bras en signe de prière. Il s'agenouille même illico devant nous et commence : « Allah akbar, Allah ou-il Allah, Allah akbar, Allah ou-il Allah, Mahamadou... » C'est ça, hadji mon cul, oui ! Barbès-Clichy n'a jamais mis ses pieds sales à La Mecque, il ne sait pas s'orienter, le nord, le sud, l'ouest, l'est sont pour lui des concepts abstraits. La Mecque, il ignore non seulement sa direction, mais encore sa situation. Barbès-Clichy picole et fume en douce. Certains jours, il sent le mauvais whisky de contrebande. Il est circoncis, sans doute, son islam s'arrête là.

– Abdul Aziz Sy Malick, c'est un nom toucouleur, qu'est-ce que tu en penses, René ?

René partage mon point de vue. Il essuie ses lunettes à l'aide d'un mouchoir en papier.

– Sans aucun doute possible, ajoute-t-il.

Effectivement, Barbès-Clichy est mauritanien, comme nous le constatons à la lecture de son acte de naissance rédigé en arabe et en français. Il parle un mélange incompréhensible d'arabe détourné et de pular mal embouché. Nous ne pigeons rien de ce qu'il raconte. Avec son français plus qu'approximatif, sa femme fait donc office d'interprète ! Nous sommes mal barrés !

Pour ne pas nous cantonner dans ce mode de communication primitif, nous essayons plusieurs langues de la région. Rien à faire, chou blanc. Barbès-Clichy et sa femme ne parlent rien d'autre que leur idiome pourri. Peut-être font-ils semblant de tout, par sens ou choix tactique ? Il est des raisons secrètes pour ces gens, auxquelles nous n'avons pas accès.

Nous nous gaussons pourtant d'être forts et bien armés en langue. René parle lari, lingala, swahili, les langues du Zaïko et d'Afrique centrale, et dioula, bien sûr, la langue importante ici, la langue des commerçants et des échanges. René baragouine aussi wolof, et connaît cinquante mots de moré, un moré qu'il tente d'améliorer au contact d'Aïssa. Si la petite parlait, ce serait quand même plus pratique. René est un gars précis, il fait les choses bien et perfectionne ses connaissances linguistiques à chaque occasion, rien ne le décourage. Par goût intellectuel profond sans doute, par tradition également, les Africains, d'où qu'ils soient sur le continent, parlent tous plusieurs langues maternelles, à l'exception de Barbès-Clichy et compagnie apparemment.

Moi aussi j'éprouve un véritable plaisir à passer d'une langue à l'autre. Je parle wolof, forcément, bambara, dioula, bété de mieux en mieux grâce à Tchétché, je me débrouille également en soussou, en ashanti, en krou. Enfin, j'expérimente de temps à autre un anglais de funk'n roll sur nos clients nigérians dont le yoruba ou l'ibo me sont totalement inconnus. Notre dialogue est alors des plus rasta.

René et moi, nous parlons ensemble la langue que nous maîtrisons le mieux tous les deux, la langue française. Si nous avons introduit dans notre vocabulaire quelques mots de dioula qui transforment certaines de nos phrases en un slang hermétique, le français reste notre référence commune. Le français, la langue du colon, du marchand d'esclaves, de l'étrangleur, de l'affameur, du salopard, du pillard, langue honnie certes, mais aussi la langue qui permet aux hommes de s'exprimer et de communiquer d'un bout à l'autre du continent, celle de Victor Hugo, celle de Philippe Soupault, et celle d'Apollinaire. René et moi, il nous arrive de chanter à l'unisson :

> *Un soir de demi-brume à Londres*
> *Un voyou qui ressemblait à*
> *Mon amour vint à ma rencontre*
> *Et le regard qu'il me jeta*
> *Me fit baisser les yeux de honte...*

Cette complainte que nous connaissons par cœur, nous en pleurons de beauté.

> *Les masques sont silencieux*
> *Et la musique est si lointaine*
> *Qu'elle semble venir des cieux*
> *Oui, je veux vous aimer*
> *Mais vous aimez à peine*
> *Et mon mal est délicieux...*

J'ai des frissons.
– Il faudrait lire tous ses poèmes, Apollinaire est un géant ! s'enflamme soudain René.
Poèmes d'amour, poèmes de guerre. Poèmes français, poèmes de la France. La France plane sur nous, à chacune de nos paroles, à chacun de nos actes, à chacune de nos pensées. Rien de notre substance ne lui échappe.

De nos élans lyriques de supermarché, de toutes ces histoires de poésie et de pays, Barbès-Clichy s'en fout. Tout ce qu'il veut lui c'est son passeport, son visa pour

Paris, retrouver les copains au marché Château-Rouge le dimanche matin, remplir son panier de manioc, de gombos et d'atiéké, faire des courses chez Tati de chaussettes et de slips à deux francs, de soutiens-gorge extra extra-larges, de chaussures en plastique, de chemises en Nylon. Et comme divertissement, se taper un bon vieux film de kung-fu au Trianon. Ce que Barbès-Clichy ignorait sans doute, c'était que le Trianon, comme la Cigale d'ailleurs, était déjà fermé à cette époque. La Ville de Paris et son maire tout-puissant veillent sur les opérations immobilières, il organise à son bon vouloir le Plan d'Occupation des Sols. Mais, encore une fois, pour Barbès-Clichy tout va bien, il est comme un poisson dans l'eau, le 18e, de la Butte au boulevard – Barbès-Clichy –, il s'y sent chez lui avant même d'y être parti. Ah ça ! je ne me fais pas de souci pour lui, il s'adaptera très bien.

Barbès-Clichy s'implique dans sa pratique de marabout. Pour faire bonne figure, je pense, il débarque à « New York » avec ses gris-gris, ses osselets, ses noix de cola. Il nous apporte des potions dégueulasses à base de racines pourries avec lesquelles nous devons nous laver tous les matins et nous frotter le gland avec. Il possède un vieux Coran de poche, corné, piqué de moisi et d'humidité, qu'il tient à l'endroit, c'est-à-dire à l'envers. Il nous distribue des amulettes de cuir, des bracelets en poils d'éléphants, des queues de lion séchées.
— Gratuit ! gratuit ! clame-t-il.
— Non merci, refuse René poliment.
Barbès-Clichy insiste, fourre ses saloperies dans les bras de mon associé qui ne sait plus que faire pour s'en débarrasser.

Je me laisse tenter par goût du bijou et de l'ornement. René me rappelle à l'ordre par une remarque sarcastique faisant allusion à une éventuelle homosexualité de ma part, je le rembarre vertement et rends ses bidules à Barbès-Clichy sans mot dire. Je me vexe assez facilement. Je boude.

Barbès-Clichy a des poches partout dans son boubou, pleines à craquer d'accessoires, les bons accessoires du marabout. Barbès-Clichy ne doute de rien en testant sa technique sur nous. Sa femme nous incite à l'écouter en silence et à le croire. Barbès-Clichy nous touche le front et la poitrine de ses doigts d'écorce, il marmotte des formules que nous devons imaginer sacrées entre ses petites dents jaunies, il essaie, vainement, de nous faire participer à ses séances. Il se fatigue en pure perte, car non seulement nous ne comprenons rien à ses gesticulations, mais elles nous paraissent suspectes. Nous ne sommes pas vraiment dupes, Barbès-Clichy est un marabout de troisième zone. Un bon marabout écrit l'arabe, Barbès-Clichy a énormément de mal pour rédiger la moindre sourate, sa petite écriture tremblotante lui impose des efforts au-dessus de ses forces. Il sue sang et eau sur le papier. Si Barbès-Clichy a tant soit peu posé son cul à l'école coranique, il obtenait toujours un zéro pointé aux interros écrites. Je le vois bien le jeune Barbès-Clichy de l'époque, séchant les cours islamiques du matin. Trop tôt. Il ronfle paisiblement dans sa case, à moitié vautré sur une jolie fille du village. Pas étonnant donc que Barbès-Clichy cumule les failles musulmanes aujourd'hui.

Nous avons interrompu net son manège fatigant quand il a commencé à nous proposer une transe spirituelle pour paiement. Je ne doute pas de ses facultés intellectuelles, plusieurs fois j'ai eu l'impression qu'il se foutait ouvertement de notre gueule ou qu'il essayait de nous enculer en douce, il embrouille volontiers nos comptes, oublie de verser les avances et les frais, je me méfie de lui. René le surveille de près. Nous sommes des trafiqueurs, Barbès-Clichy est un arnaqueur. Qu'importe, cela ne nous regarde pas, et puis certaines affaires sont plus difficiles que d'autres, nous le savons très bien, il faut assumer. Barbès-Clichy a de l'argent, c'est clair, tout ce qu'il faut pour nous payer et, sinon notre sympathie, en tous les cas notre curiosité.

Nous nous sommes bien occupés de Barbès-Clichy et de sa femme. En trois semaines, leur dossier était bouclé, les visas frais sur les papiers.

Une fois les billets d'avion achetés, Barbès-Clichy et sa femme sont venus nous visiter une dernière fois. Ce n'était pas prévu, leur démarche était en fait totalement inattendue. Coulibaly Mory les a laissés monter, il a bien fait.

Leur affaire réglée, Barbès-Clichy et sa femme Oumou Sy cessent d'être des clients pour devenir des amis, et des amis qui s'en vont c'est toujours un peu triste. Nous aurions bien aimé les garder dans notre histoire, mais ce n'est pas possible, ils sont de passage eux aussi. Aussitôt apparus avec leur fantaisie, leur humour, leur réalité, ils doivent se retirer, nous laisser, c'est ainsi, il faut l'admettre sans pleurer.

Je crois que Barbès-Clichy et Oumou ressentaient la même émotion que nous, sinon pourquoi venir nous saluer ?

Nous avons beaucoup apprécié leur touchante visite. Oumou était détendue, mais en même temps nerveuse, pensez donc, elle allait prendre l'avion pour la première fois de sa vie, et voir Paris ! Quelle aventure ! Éplorés tous les deux, ils se confondaient en remerciements parasacrés – Barbès-Clichy déchaîné nous a laissé un plein sac de gris-gris que René a fini par accepter – et en prières à Dieu. Oui, c'est ça, inch'Allah ! inch'Allah ! inch'Allah et adieu !

*« Barbès-Clichy », grand marabout africain, voyant sérieux, médium compétent, résout tous les problèmes les plus désespérés, retour immédiat de l'être aimé qui te suit comme un chien fidèle, protection, désenvoûtement, chance aux examens, réussite de ton entreprise, si ta voiture est en panne tu viens me voir et elle démarre, très bonnes facilités de paiement, par correspondance envoyer enveloppe timbrée, résultats garantis et surprenants, 53, rue Myrha, 2e bâtiment cour, r.-d.-c., 1re porte à droite, reçoit tous les jours de 9 heures à 21 heures. Métro : Château-Rouge.*

Je lis déjà sa carte de visite, imprimée à Aubervilliers, distribuée à la volée à la sortie des métros Barbès-Rochechouart et Place-Clichy. Succès garanti pour Barbès-Clichy. Les hommes adorent qu'on leur raconte des conneries. Ça les rassure.

C'est le dernier jour du mois, un jour que nous consacrons entièrement aux comptes et à la gestion de notre argent. Si ce jour tombe un week-end, eh bien tant pis ! nous travaillons quand même. C'est dire l'attention que nous portons à la chose. Nous nous sommes fixé des règles strictes avec René, des règles auxquelles nous ne devons en aucun cas déroger. Chaque dernier jour du mois, qu'il pleuve ou qu'il vente, que la terre se mette à trembler, c'est l'argent et les calculs.

Le jour des comptes est un moment particulier, privilégié. Nous avons le plaisir et la satisfaction, pratiquement la vanité, de voir s'étaler devant nous le fruit de notre labeur. Un fruit gras et bien mûr, du fric, de la thune, de l'oseille, du pognon.

Méticuleux, René déplie les billets et les lisse avec la paume, bref il essaie de les rendre beaux. René est concentré sur son affaire, il donne le meilleur de lui-même. Il les poudrerait, les billets, les maquillerait, les coifferait, les habillerait, s'il le pouvait. René n'est ni avare, ni particulièrement vénal, et même plutôt généreux et dépensier, mais il voue un respect sans mesure à l'argent, un culte occulte un peu bizarre auquel je le laisse.

La plupart des billets sont tout pourris, imbibés de l'humidité des Tropiques, mouillés. Je suis persuadé qu'en insistant un peu on en obtiendrait du jus. Du jus de billet pourri, ça défonce? Certaines coupures sont tellement usagées que la gravure, jolie au demeurant, disparaît. Dommage. Les couleurs se confondent, glissent, suintent, bavent, et se mélangent pour donner un gris verdâtre, uniforme sur toute l'image, tirant vaguement sur le rouge pour les 10 000, tirant vaguement sur le jaune pour les 1 000, absolument gris verdâtre pour les 5 000. Les dessins initiaux sur les billets étaient pourtant sympathiques, une scène de brousse, de chasse ou d'éléphants, un peu démodés sans doute. Les CFA font très années 50. Quelles furent ces années 50? Années glorieuses de nos aînés, nobles combats. Pour finalement se faire bien avoir et enculer.

Après avoir fini son opération de repassage, appelons-la comme ça, René se lave les mains pendant cinq bonnes minutes, elles sont noires, mais aussi noires de crasse. Non contents d'être sales, les billets dégagent une espèce d'atroce odeur de moisi étrange, ancien. Oui l'argent a une odeur. Il sent la saumure. La saumure d'ici, de pétrole et de poisson décomposés. Une infection.

Voilà. Nous gagnons salement beaucoup d'argent sale. De l'argent sale au sens propre.

René fait maintenant des petits paquets, des tas, et des gros tas de billets. Puis, il élimine les 1 000 et les 500 qui vont directement dans un sac en plastique dans lequel nous puisons pour les courses et les boissons, mes cigarettes, un journal d'opposition ou de foot de temps en temps. Au début, il y a trois ans, on a ramé, chaque sou engrangé représentait pour nous une victoire en soi, puis le business a commencé à bien marcher, alors l'argent est rentré, aujourd'hui c'est l'explosion. Tous les mois, nous nous faisons une petite fortune de CFA. Nous sommes ravis de nous payer le luxe de ne pas prendre en compte les petites coupures.

Il faut dire que nous réalisons toutes nos opérations en liquide. Pas de troc, pas de nature et, bien sûr, surtout pas de chèques. Chèque ? C'est quoi ça ? Seul, le vrai argent nous intéresse, celui que l'on palpe, que l'on fourre dans ses poches, que l'on dépense, que l'on boit, que l'on fume, que l'on baise, que l'on s'amuse. Nous ne voulons pas entendre parler d'autre chose. Je te fais tes papiers, tu me donnes tant. C'est clair. Chaque tentative pour obtenir de nous un arrangement est irrémédiablement vouée à l'échec total. C'est un principe. Encore un. Mais les principes et les règles nous préservent de tout malentendu, comme de toutes les erreurs et de tous les oublis. Notre système fonctionne. On ne change pas un style gagnant.

Ce principe est aussi pour nous une façon de nous protéger des farceurs, et ils sont nombreux. Nos clients pourraient nous proposer de tout en paiement ! des femmes, bien sûr, des sœurs, des cousines, des « cadettes », des filles, mais également des chèvres, des troupeaux de moutons ou de chameaux, ou de chevaux, des frigidaires, des postes de télévision (nous en sommes pourtant pourvus), des moteurs de camion, des caisses de bières par cents, des boîtes de nuit ou un maquis, voire plusieurs, des sorts favorables – on l'a vu avec notre ami Barbès-Clichy – toutes sortes de gris-gris, des œuvres d'art volées au Musée national ou tout simplement au chef du village... Nous ne prenons jamais rien. Inutile d'insister mon ami, inutile. Jamais. Jamais nous n'acceptons non plus de cadeaux pour services rendus. Incorruptibles, nous sommes absolument incorruptibles. C'est un repère moral qui participe à la réussite de notre entreprise. René relève que nous subissons l'influence du marxisme dans le management de notre affaire. Peut-être. Dans sa jeunesse, René a suivi quelques cours obligatoires de communisme appliqué.

Nous ne cachons rien de notre façon de travailler à nos clients. D'entrée de jeu, nous leur soumettons nos tarifs. Les seules négociations concernent les business en gros et les cas particuliers (il y en a toujours). Nos tarifs sont sans discussion. Nous percevons nos honoraires d'avance.

Bien sûr, nous réservons à certains bons clients l'accueil et le traitement classe A. Les amis d'amis ou les artistes dont nous fabriquons les papiers à bas prix. Les artistes sont toujours fauchés, si vous attendez qu'ils deviennent riches pour vous faire payer... Nous pardonnons aux artistes d'être pauvres et d'avoir des idées de grandeur. Pour une petite somme forfaitaire, nous les envoyons goûter l'hiver. Nous avons l'impression d'agir pour le bien culturel de l'humanité tout entière. Des fois, je pense que nous souffrons d'un complexe artistique caché.


Les piles augmentent, les liasses s'amoncellent, envahissent la table. Et il y en a encore des billets non triés ! par terre maintenant par manque de place sur la table.

– Notre chiffre d'affaires se monte à deux millions cinq cent mille francs ce mois-ci, m'annonce René, le crayon encore chaud derrière l'oreille.

– Putain de pognon !
– Jackpot, dit simplement René.

Une fois l'addition principale effectuée, nous obtenons donc notre chiffre d'affaires du mois, les fameux deux millions et demi. Nous nous livrons alors à de véritables exercices de gestion pour calculer les frais, les paies, les amortissements, etc. Bien évidemment, nous partageons les revenus que nous distinguons. D'une part nous bénéficions chacun, René et moi, d'un budget de fonctionnement, nous avons droit aux notes de frais – les taxis, les bakchichs, nous arrosons –, ensuite nous devons compter l'entretien de « New York », l'eau, le gaz, l'électricité, le salaire d'Aïssa, l'abonnement pour nos bippers Motorola, enfin les services – pratiquement une paie – de Coulibaly Mory. 40 % de notre chiffre d'affaires s'en vont ainsi. Les 60 % restant nous reviennent, nous les partageons équitablement. De ces 60 % nous réservons 20 %, le petit bout dirait-on au tarot, celui qui fait les points, que nous plaçons en fonds commun sur un compte à numéro, dans une banque libanaise, à deux pas de la maison. La Banque libanaise d'économie et de crédit (BLEC) est une garantie, elle sait blanchir l'argent. Je suis persuadé, d'ailleurs, que nous ne sommes pour eux que de petits épargnants, des trafiqueurs à leurs yeux, par rapport à certaines énormes transactions qui se déroulent dans leurs bureaux.
– Nous voyons el-Zayed cet après-midi, me dit justement René.
– À quelle heure, le rendez-vous ?
– 16 heures, me répond-il immédiatement.
René a un ordinateur dans la tête.

– Je suis partisan d'acheter des dollars...

– Oui, j'ai l'impression que c'est le moment, enchaîne René un peu songeur.

– Ça va péter, ça va péter, l'air sent le pourri, tout le monde en a marre ici... dis-je entre mes dents.

– Amidou, tu fais un beau devin, ironise au premier degré mon associé, je te vois bien marabout toi aussi, continue-t-il, voyons comment pourrait-on t'appeler ? Abidjan-New York... Oui, Abidjan-New York, c'est pas mal, ça te va ? me chambre-t-il.

Petit malaise. Quelques instants.

Puis nous brûlons les petits bouts de papier sur lesquels nous venons de poser nos opérations, où s'imbriquent soustractions, divisions, multiplications et règles de trois. La règle de trois, je n'y arrive jamais, René la maîtrise parfaitement. Les cendres des bouts de papier sur lesquels nous avons travaillé se consument avec ma cigarette et mon joint. Bien souvent, le jour des comptes, je fume en parallèle un joint et une cigarette.

Nous ne gardons pas de cahiers de notes et les dossiers de nos clients juste le temps de leur traitement, pas de carnets, ni de comptabilité de nos exploits, un minimum de traces, quelques formulaires et passeports en stock, pas plus, pas de preuves encore une fois dans notre volonté – que d'aucuns oseront trouver paranoïaque ou schizophrène ou je ne sais quoi, mais ils ne savent rien de notre vie, comment pourraient-ils la juger ? – de ne rien laisser qui permettrait de reconstituer notre aventure. Même pour nous, et d'abord pour nous, pas de souvenirs. La mémoire de notre histoire appartient à la fiction.

Mohammed el-Zayed, notre « conseiller clientèle » à la Banque libanaise d'économie et de crédit, est un petit homme sec et soigné. Il vit dans la climatisation froide de son bureau, et sa cravate impeccable serre son cou rasé. Son costume est de bon goût. Il nous reçoit les bras largement ouverts, la bouche aussi largement fendue d'un sourire commercial de circonstance. Il nous assoit en face de lui dans deux fauteuils rotatifs de bon confort. René s'écroule et disparaît dans son siège, seules ses deux petites jambes dépassent. Au mur trône la photo d'un homme arabe ceint d'une écharpe officielle et à l'air d'apparat. Le bureau d'el-Zayed est propre et bien rangé, son stylo est chic.

Mohammed el-Zayed est un monsieur très sérieux, austère mais assez décontracté. Je me demande quel effet cela ferait sur lui, si j'engageais la conversation sur Abidjan, la guerre, la drogue, les chattes et les culs. Mais, bien sûr, je me tais. Avec el-Zayed, nous ne parlons jamais d'autre chose que d'argent. C'est mieux ainsi. Et puis c'est comme ça, un point c'est tout.

— Alors, messieurs, un transfert de CFA en dollars ? engage-t-il, rapidement au cœur de notre problème.

— Oui, c'est ça, approuve René, sa voix est plus douce et plus polie que jamais, disons... quatre millions, euh... c'est possible.

— Vous y allez fort ! fait semblant de s'étonner el-Zayed.

— Nous insistons, dis-je calmement.

— Bien sûr, bien sûr... vous savez combien ça va vous coûter ? nous dit el-Zayed, nous regardant l'un puis l'autre dans les yeux.

Je marque un temps d'arrêt. El-Zayed pianote de ses doigts boudinés sur le bureau.

— Est-ce le seul obstacle à cette petite transaction ? questionne aussitôt René.

Mohammed el-Zayed convertit nos francs CFA pourris en bons dollars US. Le dollar, la seule vraie devise mondiale, celle qui peut s'échanger, s'acheter, se vendre, partout. Le dollar est le seul argent auquel nous faisons confiance, même le franc français n'a pas notre sympathie. À Abidjan, tu peux payer plein de choses en dollars, l'économie se « dollarise », sale verbe barbare. Sur le change, Mohammed el-Zayed prend sa commission, comme n'importe quel agent. Mais il n'est pas n'importe quel agent, lui seul peut transférer ou changer des sommes aussi importantes sans informer ni le ministère autorisé ni le service des douanes. Ses pourcentages se calculent en conséquence. Cependant, comme en ce qui nous concerne d'ailleurs, il doit être astreint à certaines limites et doit protéger sa sécurité. Mais ce n'est pas notre problème.

– Disons que je vous change un million aujourd'hui, un million le mois prochain, et enfin les deux millions restants le mois suivant, nous propose-t-il.

– Un million et demi maintenant, surenchérit René encore docile, mais un peu plus ferme.

Mohammed el-Zayed marque un silence avant de nous répondre.

– Vous avez donc si peur que ça, ironise el-Zayed, discrètement sarcastique.

C'est à nous de le fixer du regard sans dire un mot.

– C'est d'accord ! conclut-il.

Il note nos ordres sur une feuille volante sans en-tête et la faxe. Il fait le beau près de sa machine moderne, en service elle fait un bruit de douceur, et nous la désignant d'une main, l'autre reste à l'aise dans la poche, nous dit :

– C'est fait ! Vous retirerez vos dollars demain messieurs, au guichet habituel.

Le marché réglé, la conversation se détend quelque peu. Nous laissons parler el-Zayed. Il fait le tour obligé de nos petites affaires en compte chez lui. El-Zayed nous conseille des investissements, il nous tient au courant de nos intérêts – nous avons modestement placé un peu d'argent dans quelques actions –, il nous parle de la Suisse, de Saint-Martin, des îles Caïmans. Exotique. Mohammed el-Zayed s'emballe, il ne récite pas une leçon, non, j'ai l'impression qu'il se fait plaisir. Remets les pieds sur terre, pensé-je, nous sommes à Abidjan et tu as devant toi deux putains de trafiqueurs de merde, moi je suis défoncé et mon pote à moitié dingue. Nous ne voulons surtout pas vexer notre courtier, nous l'écoutons religieusement – René a l'air d'un bon élève, je crains en fait qu'il ne s'endorme dans son fauteuil –, sans l'interrompre un seul instant.

Bien évidemment, Mohammed el-Zayed ne nous pose jamais de questions sur la provenance de notre argent. À la fin de l'entrevue, nous fixons d'avance notre prochain rendez-vous, nous nous souhaitons mutuellement beaucoup de courage et de santé, et nous nous serrons la main franchement.

La BLEC n'est pas la banque d'El Paso, elle est solide et rapide dans les transferts de fonds. La Terre peut péter, exploser de l'intérieur, tous les canons de la planète, ensemble, se mettre à tonner, les bombes siffler, les hommes s'anéantir avec un malin plaisir, nous récupérerons notre argent.

Nous sillonnons Abidjan, infatigables, insatiables, toujours dans l'action. De palabres en business, tous les jours de nouvelles aventures s'offrent à nous.

Aujourd'hui, je m'introduis auprès de l'ambassade d'Italie, où mon succès ne fait pas un pli. J'aime les Italiens, leur langue qui est une chanson, leur façon de parler par gesticulations et leur feeling pour chanter le disco, leur calcio qui nourrit en milliards toutes les grandes stars du ballon rond, leur amour immodéré, extraverti, des pâtes et du vin, de la bonne bouffe en général et des femmes, leur culture qui est une grande culture. Les Italiens sont chaleureux, ouverts, accueillants, généreux, en bien des points ils ressemblent aux Africains.

À l'ambassade, la corruption est dans le sang, une seconde nature, génétique. Les Italiens sont les premiers à magouiller. Tout se discute, se parlemente, se négocie. Du petit flic qui garde l'entrée du consulat à l'ambassadeur, ils sont tous mouillés, dans tous les services, sans exception. Malheureusement, l'Italie n'ayant aucun lien historique ou politique particulier avec la Côte-d'Ivoire, les fonctionnaires sont ici peu nombreux, je ne peux les assiéger trop régulièrement, on aurait vite fait de repérer cet afflux de visas vers Rome pour une si petite représentation. J'use de leurs services avec parcimonie. Nous sélectionnons minutieusement les clients qui nous sollicitent en vue de l'obtention d'un visa italien. L'ambassade d'Italie reste un coup sûr, il ne s'agit pas de le gâter.

La semaine prochaine, je me ferai l'ambassade de France. Au nord-est du Plateau, l'ambassade et le consulat partagent les mêmes locaux, c'est pratique. Les Français, du gros gibier, sont plus difficiles à manœuvrer que les Italiens. Il faut montrer patte blanche, c'est le cas de le dire. Alors à l'ambassade, je fais mon Fantômas. J'ai de l'entregent, je souris gentiment, je suis poli. J'obtiens à peu près ce que je veux. La complicité assidue d'un membre du personnel, Marie-Chantal, une blonde rose pâle d'une quarantaine d'années, m'est d'un précieux secours. Je suis reconnaissant à Marie-Chantal pour ses services. Sans elle, j'aurais beaucoup plus de mal à parvenir à mes fins. Je la tiens les doigts dans le cul, les lèvres au bout des seins, elle m'attrape par la bite et les couilles. Entre nous deux, c'est une histoire de sexe et de suce. Marie-Chantal est ma taupe, mon sous-marin, le KGB, c'est une corrompue sexuelle. Elle est aussi mon démon – Marie-Chantal n'est pas mon seul démon – et je suis le sien. Profitant des absences répétées de son mari, je passe chez elle le soir, nous faisons l'amour – Marie-Chantal est singulièrement portée sur la baise –, en échange elle me refile les documents consulaires et toutes les informations confidentielles dont j'ai besoin.

Hier soir, à minuit tapant, je l'ai appelée d'une cabine téléphonique. Deux sonneries, elle a décroché :

– Allô !...

– Marie...

– Allô ?...

– Allô, Marie ?...

– Oui, c'est toi, Amidou ?...

Sa voix était éteinte, sourde. Je ne savais pas si je devais mettre cette impression sur le compte de la mauvaise qualité de ligne, le central de Cocody dont dépend Marie-Chantal marche mal. De l'écho, de la friture, c'est normal.

– Oui, oui, c'est moi... Je te réveille ?... Tu m'entends ?... Je peux parler ?... lui ai-je demandé dans un souffle.

– ...

– Tu es seule ?... ai-je repris, quand même inquiet.

– Oui, vas-y... m'a-t-elle dit, maintenant un peu cassante.

Le téléphone me rend assez parano. Marie-Chantal s'en fout. Elle est froide comme de l'acier. Je lui ai donné la liste des papiers qu'il me fallait.

– Sinon, tout va bien ? ai-je ajouté, vaguement hésitant. Marie-Chantal me met toujours un peu mal à l'aise.

– Oui, ça va, a-t-elle simplement dit, on se voit comme prévu ?

– C'est ça, lui ai-je confirmé.

– Bon, je vais dormir, je te laisse, je suis fatiguée...

– OK... je t'embrasse Marie...

– Ouais, ouais, l'ai-je entendu marmonner.

Sa voix était lointaine et elle a raccroché. C'est tout.

À l'ambassade de France, je profite également de l'afflux désordonné et hystérique de toute une population victime de queues interminables, des queues qui donneraient le moral à ceux qui attendent leur tour pendant des heures aux ASSEDIC d'Aubervilliers ou de Pantin. Les gens qui défilent patiemment à l'ambassade de France d'Abidjan sont des braves gens pour la plupart. Un peu naïfs, ils croient obtenir sans problèmes leur visa, ils pensent sans doute partir pour la France et y être accueillis à bras ouverts à l'arrivée (cette idée toute faite a cependant tendance à régresser dans les consciences) et si ce n'est pas le cas ils s'en foutent, ils veulent PARTIR. Des molaires se sont cassées sur l'administration de la Mère Patrie, des râteliers, des mâchoires entières... Je recrute discrètement dans les files d'attente, je propose nos services, nous fournissons les dentiers.

Nous ne chômons pas. René n'est pas fumiste, et moi non plus. Pas le choix. Nous courons dans tous les sens, l'un dans une incruste, l'autre sur un plan, les deux en plein dans la magouille. Nous dépensons notre énergie, nous défendons nos intérêts, et ceux de nos clients. Nous oublions le reste, le monde, la vie, dont nous nous foutons. Nous remuons des affaires, du business, de la viande.

Nos seuls horaires fixes, ce sont nos consultations, nos rendez-vous, tous les après-midi, à « New York ». Le reste du temps, nous sommes en mouvement dans Abidjan.

J'ai rejoint René à Yopougon, une banlieue populaire de la ville, où il devait rencontrer quelqu'un. Je l'attrape à l'arrêt de bus convenu entre nous comme rendez-vous. Nous partons ensemble pour Treichville ce soir continuer le « Nigerian business », auquel René me paraît de plus en plus attaché. Le jour commence à tomber.

Nous avons pris notre bus pour Abobo-Doumé, un

charmant village de pêcheurs, un quartier intégré au grand Abidjan, collé à la lagune. Des femmes nous proposent du poisson séché. Il sent très fort. Deux hommes dépècent un barracuda. De là, nous embarquons sur un bateau-bus pour Adjamé. L'eau de la lagune est grise, épaisse, dégoûtante, des déchets flottent à la surface, un pneu, des sacs en plastique bleu ; il n'est pas rare de trouver des cadavres qui surnagent, à moitié immergés, à moitié à l'air libre. Tous les égouts d'Abidjan se déversent dans la lagune. Je n'y plongerais pas un seul doigt de pied. On parle de drainer les eaux sales vers la mer et Bouygues d'installer une station d'épuration. Pour quand cette opération ? Je n'y crois pas vraiment. La lagune pue un mélange d'œuf pourri et de vomi. J'ai un peu le mal de mer. René se pince le nez.

Dans nos périples intra-urbains, nous avons le loisir de visiter la ville. Ce n'est pas du tourisme.

Je me souviens d'Abidjan il y a dix ans – mais c'est peut-être là parler comme un vieux con –, la ville n'était pas belle, non, elle manque trop d'architecture, de monuments, de culture, elle a trop vite poussé en fonction du seul pognon, mais elle fusait d'initiatives, d'idées, dans un élan.

Aujourd'hui, il semble que rien ne peut changer ici, pire, que rien ne peut changer jamais. Le pays va mal, il est inerte, paralysé. La population traumatisée se laisse aller. Rien ne se construit, ne se bâtit, encore moins ne s'investit. Les rares chantiers sont en plan, dans certains quartiers les gens vivent dans des demi-maisons, sans toit, sans fenêtres. Qui a passé un coup de peinture ces derniers temps ? Qui a fait un ravalement, des travaux, du terrassement ? Où sont les plombiers compétents pour arranger les canalisations ? Existe-t-il encore un service des Eaux, de l'Électricité ? Ne parlons pas du téléphone. Même à « New York », où, finalement, nous sommes préservés de la décadence ambiante, la gérance a des ratés, l'ascenseur a des hoquets et confond tous les étages, quand il n'est pas en panne. À croire qu'on le drogue. Allez vous les taper, vous, les 38 étages à pied ! Merde, si l'ascenseur nous lâche, on aura l'air frais. René fait de la parano, il a peur d'entrer dans l'ascenseur, l'impression de pénétrer dans son tombeau. Je dois le calmer encore une fois, le raisonner. Il faut prendre l'ascenseur, nous ne pouvons faire autrement.

Heureusement, nous n'avons eu aucun incident fâcheux à déplorer ces dernières semaines. Mais attention, il suffit de ne plus y penser pour se retrouver coincé tout un week-end durant. *Faire monter et descendre l'ascenseur au moins une fois avant de s'en servir.*

En fait, en conclusion, rien ne marche ici, sauf le business, qui lui par contre tourne, tourne, tourne à fond la caisse. C'est un bon signe de désarroi total.

À Adjamé, nous prenons un taxi. Nous dépassons la grande mosquée. Elle est envahie de mendiants aveugles, ils ressemblent tous à Barbès-Clichy par leur aspect immense, maigre et mal foutu. Certains vendent des livres saints, des chapeaux, de l'encens, des chapelets à la sortie. Tous prient et jurent dans une intense cacophonie. On voit quelques femmes voilées. Parfois, par défi – ou par bêtise –, par provocation, je les fixe des yeux, leur beau regard est profond, fuyant, apeuré, bouleversant.

Le taxi traverse ensuite la gare routière où des cars pour partout s'entassent dans la boue. Des panonceaux annoncent les directions : Ouagadougou, Bamako,

Odienné, Korogho, Bouaké, Banfora, Sikasso, Man, Daloa, Gagnoa, tout le grand Mandingue pour quelques milliers de francs... Les voyageurs se bousculent. Des petits vendeurs se précipitent pour leur fourguer leur camelote. À coups de klaxon, nous nous frayons tant bien que mal un chemin parmi les gens, nous prenons des coups de poing sur le capot, des coups de pied dans les roues, imperturbable notre chauffeur fonce droit devant lui. La foule est d'une densité asiatique, gare aux voleurs, aux pickpockets ! Les agents des compagnies de transport, les vendeurs de billets racolent le client. Attention ! des « faux types » s'immiscent parmi eux, ils abusent les mamans, et en général les plus faibles, en leur refilant des tickets de voyage sans valeur. Par prudence, nous remontons les vitres de la voiture.

Plus loin, des quartiers résidentiels se transforment en poubelle, seul un peu de brillant subsiste du lustre d'antan, dans la silhouette des immeubles, dans une pelouse dont l'entretien est encore assuré paresseusement.

Partout apparaissent des friches nouvelles, industrielles, humaines, des entrepôts vidés, des zones abandonnées à tous les vents. Des ghettos poussent comme des champignons de gens boutés hors de leurs villages par le manque et le besoin de tout. Pour les enfants, les tas d'ordures, les décharges, les monceaux de ferraille rouillée qui s'accumulent sont des mines d'or dans lesquels ils fouillent et jouent.

Un monde qui ne bouge pas est un monde qui régresse.

Rien ne bouge c'est sûr... La ville se vide de son sang, imperceptiblement, se referme sur elle-même. Abidjan, monstruosité urbaine, pieuvre, dragon.

Tout le monde est en grève. Le pays n'est plus gouverné, certains ministres ne se connaissent même pas entre eux, ceux qui se réunissent le font pour régler des affaires de magouilles ou de succession, l'Administration a en bonne partie rendu l'âme, la santé, la justice, la sécurité ne sont plus assurées. Les étudiants et les professeurs ne fréquentent plus les cours, les uns d'être trop mal payés, les autres logiquement vaincus par l'absence de leurs professeurs. Élèves et professeurs traînent toute la journée dans les universités, sur les campus, dans les lycées, montent des coups, organisent l'agitation et la propagande politiques dans une cohue d'idées et de personnalités qui ne présage rien de bon. Ensemble, ils managent des manifestations qu'ils appellent « marches », dans la rue, interdites et durement réprimées. « Les Ivoiriens marchent mais n'avancent pas », glisse l'homme dans la rue dans une boutade déprimée. Certaines manifestations, victimes de la présence de casseurs et de barbouzes, dégénèrent en affrontements, en vandalisme, en razzias. Les polices infiltrent les mouvements pour mieux les poignarder. Des femmes se font violer, des jeunes étriper, pendre, lyncher... Jusqu'à présent, pas une marche n'a débouché sur un changement. Mais à force d'insister... Les débordements sont toujours plus fréquents. Abidjan peut connaître un black-out d'un, voire de deux jours.

Ainsi va Abidjan, cahin-caha, comme notre taxi, en route directe vers l'enfer. Et nous avec, slalomant entre les ornières, en cross-country sur les avenues, les boulevards, les rues...

Vite fait, nous faisons un crochet par « New York », voir si Marcel, le patron du Treichôtel, où nous avons rendez-vous tout à l'heure, nous a laissé un message.

Marcel nous renseigne sur nos clients, il envoie un gosse nous prévenir en cas de danger ou d'embrouille possible. Une bonne sécurité que nous doublons en arrivant systématiquement d'une demi-heure à une heure en retard à nos rendez-vous. Nous donnons ainsi le temps à Marcel de s'organiser en conséquence.

Nous interrogeons Coulibaly Mory à ce sujet. Il n'a vu personne, pas de message non plus, tout va bien. Je monte quand même à l'appartement pour fumer un gros joint. Je change de tunique et de boubou, et laisse mes affaires en plan sur le canapé. René m'attend en bas, il cause avec notre gardien. Je redescends immédiatement, en quatrième vitesse, bien drogué et content.

Notre taxi nous a attendus, René s'est déjà installé devant, à droite du chauffeur. Je salue Coulibaly Mory d'un signe lointain de la main, et lui lance un : « À ce soir ! » précipité.

À notre QG tout se passe vite. Les Nigérians sont là avec leur équipage sexuel.

Sans se démonter, René fait le premier pas – il en rêvait je le sais – une proposition à la belle, 10 000 francs, et il monte avec elle. Nos clients redoublent de grimaces concupiscentes et de sourires entendus.

Pendant le petit quart d'heure que dure l'absence inavouable de mon associé, je fournis vingt passeports en bonne et due forme, parfaitement reconstitués. Dans les toilettes, un des gars va apprécier la qualité de notre travail et en sort satisfait.

– OK, OK, you did a good job, me dit-il.

– Vous avez compris... très bon boulot... renchérit l'autre en français.

– Oui, merci, dis-je sèchement.

– Bon, pour la fin de l'argent c'est avec la dernière livraison n'est-ce pas ? reprend-il.

J'essaye de mentir :

– On a dit ça ?

– Tout à fait, conclut-il.

J'esquisse un rictus.

– Bon, bon... René a convenu avec vous la date de notre prochain rendez-vous.

– En effet, acquiesce mon interlocuteur.

– Nous n'avons plus rien à nous dire alors ?

L'échange et la conversation, tout a été rapide, je ne tiens pas à m'étendre avec ces macs.

Dans le hall, je récupère René, je le sens perturbé, il est blême. Il bégaye, la parole se bouscule salement dans sa bouche.

– Et alors, mon vieux, rien que du bon temps ?

– Leur star, me dit-il, la voix finalement blanche, ce n'est pas une femme mais un homme...

– Quoi ?

René est bouleversé, il a sûrement consommé. Merde, il a replongé, pensai-je. Merde, merde, merde. Je sais que René peut être imprévisible, obscur. Il était plus clair quand je l'ai connu, mais avec tout ce qu'il vit son esprit est devenu complètement tordu, ses neurones se mélangent parfois n'importe comment. Il peut passer à l'acte. René, c'est Oreste prisonnier des démons, des flots de sang et des hallucinations.

– Ouais, un travelo, avec une grosse bite et des grosses couilles et un cul béant, mon poing entier rentrait dedans... s'excite-t-il, fiévreux, il tremble des mains.

Certes il me parle, mais sans pour autant me regarder ; René est dans le vague, il a décollé, j'en suis sûr.

René n'a pas l'habitude de se répandre aussi crûment

142

sur les choses du sexe, et là il ne se tient pas, il se mord la lèvre inférieure et claque des dents.

– T'es dingue.

Et je n'arrive pas à dire autre chose.

– Ces mecs ne vendent pas des putes mais envoient des travelos se faire opérer en Angleterre ! Putains de travelos ! s'échauffe René, de la bite ! de la bite ! crie-t-il maintenant dans la rue.

– Oh putain, merde ! dis-je entre mes dents.

Je n'ose pas demander à René des détails techniques sur ce qu'il a vécu, l'envie ne me manque pas pourtant de le questionner sérieusement, mais je décide de lui foutre la paix, il a l'air trop perdu pour essuyer mes remarques.

Je suis moi-même troublé. Dans quel monde vivons-nous ? Ces saloperies de Nigérians se révèlent encore plus salauds que nous ne pouvions l'imaginer. Envoyer des travelos se faire couper, une vraie mine d'or. Et ces connards, en ce moment, doivent bien se marrer du petit tour joué à mon associé.

Malgré mes réticences je vais parler à René de son aventure, quand un dealer de drogue m'interrompt et nous propose un paquet. Il n'a plus d'yeux. Il insiste et nous colle.

Je commence à m'énerver.

– Mais casse-toi, on t'a dit...

– Laisse-le, Amidou, me dit René, tu ne vois pas qu'il est mal.

Mon associé remet doucement les pieds sur terre, cogné paradoxalement par la réalité.

– Merde, entre les vendeurs de travelos et les vendeurs de drogue, où va-t-on décidément ? J'ai blagué sans conviction. J'ai essayé de détendre l'atmosphère.

Mais René ne répond pas, il veut oublier. Ou bien au contraire se souvenir et y revenir ?

– Cette putain de poudre fait des ravages.

– Elle est partout, conclut René.

Oui, partout. La drogue est là, elle est présente, omnipotente, envahissante. Ce ne sont plus les bataillons de petites putes qui inondent les night-clubs des ruelles qui sont les plus recherchés, ce n'est plus seulement la chatte pas chère et souple qui anime la nuit et le client, ce n'est plus ce qui l'attire vraiment, même si la baise à risques excite et excitera toujours. Non, la drogue déplace la foule, compacte, avide, nerveuse. Il y a ceux qui en ont besoin pour la paix de leur corps et ceux qui se remplissent le portefeuille de ses bénéfices. Les scènes sont insupportables, les enfants les premiers touchés. Les prix de l'héroïne et de la cocaïne se sont effondrés tant la demande est grande, et l'offre grandiloquente. L'off-White, une nouvelle race de poudre, de l'héroïne très blanche, du crack amélioré, est tout particulièrement appréciée par ceux qui tchro, les junkies en djonss. L'off-White mal dosée provoque des crises d'épilepsie, des infarctus fatals. Je me laisse de temps en temps aller pour un petit shoot, mais je garde mon cœur. Nous sommes des trafiqueurs, nous pourrions vendre de la drogue, ou des armes d'ailleurs, nous aurions pu vendre de la drogue et des armes, nous vendons des papiers – nous ne sommes pas des enculés –, jusqu'au jour où, nous le savons maintenant, nous ne vendrons plus rien, et ne serons guère plus.

Le dealer s'en va dans la rue chercher des clients plus complaisants, il porte un faux Lacoste en loques, un short déchiré et graisseux, il n'a qu'une sandale aux pieds.

Des enfants jouent à la marelle dans les ruelles, il est minuit passé.

Nous descendons l'avenue 16 en marchant – la reine Pokou nous accompagne, elle sacrifie son fils et sauve son peuple, elle fonde un royaume de paix et de justice, elle reste dans l'histoire. M'entends-tu Abraham, dans ton tombeau d'Hébron ?

Nous tentons de récupérer, de respirer et aussi de nous dessoûler un minimum. Nous n'avons pas bu tant que ça. L'air de la nuit est chaud comme en plein après-midi. Je remarque que René transpire abondamment, il s'éponge la nuque avec un petit mouchoir de poche bien plié.

J'ai faim. René me propose un poisson à la Bâche bleue, son maquis préféré en Zone 4, rue des Serpents, appelée ainsi car les putains, comme les reptiles, sifflent et hypnotisent leurs clients. Mais j'ai faim tout de suite. À Treichville, aucun problème pour manger, très tard, à la sauvette. Des brochettes, des abats, du cœur.

Je mange des rognons – certains affirment qu'ils sont de la tripe d'homme, comme les brochettes qui seraient, elles, la chair même.

Mes rognons grillent sur des bidons qui puent le gas-oil arrosé de piment. Ils satisfont l'appétit rapide des passants qui traînent encore dehors, les uns à la recherche de drogue ou d'une fille facile, les autres pour une affaire, un braquage vite fait, un pigeon ou un connard. Moi, j'ai faim seulement. Le type qui me sert mes rognons est borgne, il lui manque quelques doigts, sa main gauche est atrophiée. Ici, tous les gens sont cassés. Du papier journal gras, de la tripe, un morceau de pain mou, des oignons, c'est bon. À me voir dévorer mon en-cas, René a presque envie de gerber. En fait, René ne mange pratiquement pas. Seuls, les plats d'Aïssa déclenchent son appétit. Et encore les mange-t-il du bout des doigts.

– Bon, Amidou, on fait quoi ? on rentre à « New York » ou quoi ? me demande-t-il.

Je finis mon sandwich.

– Tu veux rentrer, toi ? Je lui retourne sa question, parlant la bouche pleine.

– Non, pas trop.

À ce moment, nous n'osons pas nous avouer l'un à l'autre notre désir profond : nous bourrer salement la gueule – nous avons chacun nos raisons –, boire coups de canon sur coups de canon, oublier que nous venons de participer à la vente d'êtres humains, travelos qui plus est, mais on s'en fout ! Boire à ne plus rien voir, à ne plus rien sentir, à ne plus rien entendre, à ne plus rien savoir. Arrêter de penser bien sûr, cesser de causer, boire.

Je fais le premier pas.

– Et si nous allions nous jeter un verre, René ?

René bondit sur ma proposition :

– Amidou, je ne te le fais pas dire !

Je lui tape dans le dos.

– Inch'allah, René, inch'allah.


Les chimères des trafiqueurs s'en vont dans la nuit, les chauves-souris ont replié leurs ailes, le sang bat encore dans leurs veines, ils s'éloignent dans les ruelles, le dos un peu voûté, les mains au fond des poches, on sait qu'ils sont pensifs, l'un fume une cigarette et l'autre pas.

*

Vingt minutes plus tard, le taxi que nous avons pris dans la rue 12 nous dépose au Temporel, loin au fond de la ville, à Marcory, dans un coin impossible de l'immense zone d'Abidjan – elle semble ne finir jamais tant elle s'étend –, boulevard du Gabon, chez Rachelle, Tina et Pélagie.

Ce quartier de Marcory se nomme très joliment « Téléphone-Sans-Fil » d'après une rumeur aberrante qui voudrait que l'on (qui ? on) ait souhaité installer des liaisons de téléphones sans fil dans la zone. Encore un rêve, un délire devrais-je dire, de modernité. Le téléphone sans fil a fait long feu, mais la rumeur était trop belle, l'endroit est baptisé.

Marcory « TSF », un quartier sans intérêt aucun, une banlieue populaire, déserte et endormie, la lagune repose de l'autre côté. Des rues bétonnées, vides, tracées à l'américaine, coupent les avenues à angle droit. Personne ne se promène dans le coin, pas de spectacle, pas de musique et pas de femmes.

À moitié sur le trottoir, et une petite salle en patio à l'intérieur, de superbes plantes vertes un peu partout, le Temporel est la seule plage d'animation à plusieurs lieues à la ronde. Le quartier est trop éloigné de tout pour voir des boîtes de nuit ou des maquis de cul s'y implanter.

Le Temporel ouvre ses feux quand minuit sonne au clocher de la vieille église du boulevard. Il est bientôt une heure, les lumières du maquis battent leur plein, bientôt les clients se bousculeront pour avoir leur bière, une place au bar, ou une table à la terrasse.

Des casiers de bouteilles de bière envahissent l'arrière-bar. Des Flag. Pélagie sort des caisses de Coca-Cola, en moins grand nombre, de la réserve. Le verre des bou-

147

teilles est éculé. On peut aussi boire du Pastis ou du Martini.

Le Temporel est volontiers fréquenté par les petits bandits, ils viennent ici, comme nous, boire discrètement, et puis se mesurer les uns aux autres, s'allier, se déclarer la guerre, fomenter, se frotter les joues à coups de poing éventuellement, faire les gros bras, et, l'alcool aidant, rouler des épaules, parler fort, se défier. Vers quatre heures du matin, ils cassent les bouteilles de bière contre les murs, se menacent, se saignent. Plus que jamais Marcory TSF, boulevard du Gabon, est hors du monde. Les gars règlent leurs comptes en paix. Mais à ces moments-là, nous sommes déjà partis le plus souvent.

Ils sont là, derrière nous, les voyous, et à gauche maintenant, par groupes de quatre autour d'une table, à l'écart, sur le trottoir, front contre front, un plein casier de bières sur la table, engoncés dans des blousons malgré l'humeur tropicale de la chaleur qui sévit cette nuit. Les cheveux coupés zoulou, ils parlent à voix basse, et ourdissent quelque complot qui leur occupe la vie. Il y a du cinéma là-dedans, mais dans le lot de sacrés clients également, des agités au bagout étonnant. Je n'ai pas encore trop bu. Encore lucide, je laisse traîner mes oreilles. J'entends des choses. D'après ce que je comprends, la revendication politique justifie la violence et les rapines ces derniers temps. Depuis peu, j'ai remarqué que des leaders parallèles d'opposition se mêlent aux apaches, ils recrutent des porte-flingues, des gros bras, des casseurs. C'est intéressant.

Parfois, quelques rock stars locales se joignent à eux, Hamed Farass, Waby ou un autre. Ils font genre au milieu des Assassins, distribuent des cigarettes, des bières, des claques dans le dos.

Tina ne se presse pas. Pas à pas, les hanches roulées, son sourire est neutre, simplement commercial. Elle ne veut pas d'histoires ici. Bien sûr, elle les connaît tous, ces petits bandits, mais c'est une fille sérieuse maintenant. Tina porte un jean et un tee-shirt déchiré, grunge, qui laissent entrevoir sa belle chair bété, forte, élastique, un appel hurlant au sexe. De temps en temps, nous faisions l'amour avec Tina, un amour sauvage et sans tabou, toujours par-derrière je lui attrapais la chevelure et lui baisais le cul bien au fond, comme on monte un cheval. Je pense à ces moments sans nostalgie. Tina est une amie. Elle ouvre les bouteilles de bière avec les dents. Un gars tente de la prendre par la taille, elle se dégage.

Pélagie travaillera tout à l'heure, quand Tina sera débordée, puis Tina ira se reposer, Pélagie finira la nuit. Rachelle commande et encaisse, mais elle met la main à la pâte quand le maquis regorge de monde. Rachelle, Tina et Pélagie tournent dans leurs fonctions, un soir l'une à la caisse, une autre le soir suivant, et ainsi de suite. Au repos ou en activité, les filles restent au maquis toute la nuit. Elles discutent en privé avec leurs clients préférés, acceptent un verre qu'elles boivent à moitié. Les filles cherchent et trouvent des amis pour finir la nuit en discothèque. Rachelle, Tina et Pélagie adorent danser et s'éclater. Je me souviens de Pélagie, une nuit, elle s'était foulé la cheville dans la rue et boitait bas, eh bien qu'importe ! c'est avec une canne qu'elle allait se défouler dans les night-clubs de Cocody.

De temps à autre, les filles s'échappent au Blue Note,

chez Saint-Ange, où René et moi nous avons l'habitude de finir nos nuits – on nous y retrouvera tout à l'heure – c'est toujours une fête de les rencontrer là-bas, et d'admirer leurs petits culs sur la piste qui balancent en cadence, écouter leurs rires aux éclats, mater leurs jambes aussi, et leurs lèvres rouges... Je sais que Rachelle et Pélagie font les « deuxième ou troisième bureau » des ministres en vogue qui traînent là-bas.

En semaine, chacune des filles s'accorde deux à trois jours de repos, toujours en alternance. Rachelle, Tina et Pélagie sont des travailleuses. Ici, à Abidjan, les femmes bossent dur.

Nous embrassons les filles. Rachelle a préparé une sauce et nous invite, mais René n'a pas faim et j'ai mes rognons sur l'estomac. Nous savons lui dire non sans la heurter. Ici ce n'est pas évident de refuser de partager le manger. Les filles nous aiment bien. Nous ne faisons jamais de scandale, nous sommes polis, un petit mot gentil à l'une ou à l'autre, un compliment sur une coiffure ou une tenue.

Alors nous commençons à boire. Nous éclusons, consciencieusement, notre mélange fameux de bière et de whisky. Sans soif, sans volonté, en silence. Parfois, une voiture surchargée, un taxi souvent, freine sur la chaussée et dépose une grappe de jeunes gens, en cuir et en jeans. Nous sommes fondus dans la masse, tout à fait tranquilles, face à la rue, droits, les coudes le long du corps. Et d'habitude si bavards, c'est bien le diable si nous échangeons plus de dix phrases. Nous nous consacrons pleinement à la boisson, avec tout notre esprit, de toute notre âme. En toutes circonstances, faire les choses bien, le mieux possible. Nous nous appliquons à boire. C'est un plaisir. Un voyage. Les rues, les maisons, les arbres géants titubent et nous bercent facilement.

Après tout, boire est une très bonne manière de dépenser son argent. De toute façon, que faire quand on a du cash – nous n'avons que des gros billets dans les poches – sinon le claquer n'importe comment, flamber sans retenue, consommer du plaisir, manger le plus cher, boire, justement, le plus fort, baiser la plus salope, la plus aimée, la plus belle, les trois en même temps, fumer le meilleur – je ne me gêne vraiment pas, fidèle à Bob Marley, je fume en continu, et je veux fumer toujours plus – et s'endormir en harmonie, sûr et satisfait de soi ? De toutes nos forces bandées, de toute notre volonté, nous collons à ces principes, zélés dans la débauche, persévérants dans la luxure et le vice. Pour ça, ah oui ! nous nous investissons à fond.

Nos verres Duralex ne désemplissent pas, la mousse et les bulles disparaissent sous l'alcool de malt, le liquide est marron foncé, il ressemble à du pétrole mixé de café et sent très fort. Je fume mes cigarettes, des Marlboro. Les beautés réunies de Rachelle, Tina et Pélagie passent devant moi, je n'ai dans la tête que des images de fesses, de seins et de sexe. René se penche vers moi au ralenti, l'expression de son visage me parle, il sait que je plane et me regarde, sans doute mes yeux sont-ils brillants et uniformes comme deux lasers, et mon corps raide comme du bois. Salut la vie ! salut la Terre ! Je m'en vais, je pars, je ne sais où, une spirale technicolore m'entraîne dans son tourbillon, dans son naufrage, enfin je décolle, et je vole au-dessus du ciel, de la ville, de « New York » qui me paraît petit, petit, petit... C'est à moi de m'en aller, dis-je mentalement à René.

La descente n'est pas violente, j'ai de la chance, cela

ne durera pas éternellement, un jour je resterai coincé en haut. Autour de nous, les voyous s'agitent, j'entends des cris, des basses et des aigus mal balancés, le maquis est tout à coup trop bruyant pour nous. Nous remuons du cul sur nos chaises. Nous commandons puis buvons jusqu'à la dernière goutte ce que, de tout temps et partout, les hommes appellent le « dernier verre ».

Je paie toutes les consommations, et je laisse un large pourboire.

– Quand vous voulez, les gars ! me lance Rachelle, complaisante, mignonne, perverse et désirable.

– À fond chérie, bafouille René.

– Prends garde à toi, me glisse Tina, le courage et la chance ne suffisent pas, ajoute-t-elle.

Tina me caresse le bras.

– Merci Tina, lui réponds-je très lentement, ça va.

– Vous allez au Blue ? m'interroge-t-elle.

– Oui, oui, lui dis-je, pensant à autre chose, à je ne sais quoi.

– C'est bien, conclut Tina en s'éloignant.

Je fixe ses fesses d'un regard que je sens glauque, elles flottent dans la nuit. Je les ai tant prises et tant violées, leur odeur salée reste imprimée dans ma mémoire.

René discute trente secondes avec Pélagie, je me rends bien compte qu'il a énormément de mal pour aligner trois mots. Oui, je suis dans le même état.

J'ai fait vingt mètres sur le trottoir, j'ai mal au corps, au crâne, à la poitrine, aux reins. La gorge me brûle, j'ai des bouffées de chaleur. Je me tâte pour dégueuler dans une poubelle, j'hésite. Gerber tout ce bon alcool que je viens d'avaler ? Le digérer plutôt, l'enculer ! bien le sentir et l'apprécier jusqu'au bout. Je garde ma gerbe

152

dans la gorge – je fais l'effort –, la pousse dans mes intestins, la retiens dans mon estomac, je me bats quelques minutes pour qu'elle ne déborde pas de mes lèvres malgré moi, elle résiste, la pute, mais cède sous ma pression. Mon ventre est plein de vomi, il en gargouille, en rote, en pète. Tout à l'heure, je serai impatient de le chier, j'apprécierai sa couleur, sa matière, je respirerai son odeur, avant qu'il ne disparaisse, fondu, disloqué par ma chasse d'eau.

René est revenu à mes côtés, difficilement, dans le dos sa chemise est trempée, sa transpiration dessine une croix, il ne le sait pas, René monte au Golgotha. J'ignore s'il est heureux. Mais moi je le suis. Seul dans la nuit.

Un taxi s'arrête à notre hauteur.

– Alors, c'est trop fatigué ton bras pour chercher voiture, nous dit le chauffeur en créole, en slang.

Nous montons à bord. René se met devant et ferme la portière en deux temps. Les garnitures de la voiture sont toutes déglinguées, le tableau de bord est éclaté. Des gris-gris pendent au rétroviseur avec un porte-clefs au bout duquel est accroché un petit ballon de foot.

– Faut aller au Plateau mon frère, en face de la Pyramide, au Blue Note, et vite fait, ordonné-je d'une voix que je veux assurée.

La Pyramide est un centre commercial, logiquement en forme de pyramide, à peu près abandonné, à l'ouest du Plateau, à dix minutes à peine de « New York » à pied.

– C'est, bon grand patron, c'est bon, me dit le taximan, faut pas chauffer, moi fatigué.

Il embraie, craque une vitesse, et engage sa Daihatsu

en fer-blanc toute cabossée à fond la caisse sur le freeway.

Blue Note, trois heures et demie du matin. Est-ce la vie qui continue, comme un escalier de pierre descend au cachot visiter les entrailles de la Terre, l'enfer ?

Saint-Ange, notre mentor – sage indispensable et rassurant, il nous guide et nous soutient, Saint-Ange, tu as changé ma vie –, le maître des lieux, est en pleine forme. Il nous accueille à bras ouverts. Jovial, amical, et sincèrement ravi de nous voir. Et non pas seulement pour l'enveloppe que je lui glisserai dans un instant, sa part de butin dans l'affaire. Saint-Ange nous installe à sa table, Djeneba, sa femme, ainsi que sa cousine Saliou sont sagement assises devant des Coca-Cola. Comment font-elles pour boire cette saloperie ? Ce n'est que du sucre, ça arrache la gorge et assoiffe. Les filles nous font des yeux, je parle bambara avec Djeneba, Saliou nous écoute.

Tous les bourgeois d'Abidjan fréquentent le Blue Note, ils s'habillent exclusivement à l'européenne et dansent le zouk, s'enragent sur la techno. Des gouttes de sueur flottent dans les faisceaux des projecteurs. Koffi, le fils métis du ministre de l'Intérieur est là, il nous salue de loin – plus tard, me serrant la main, il me donnera une boulette d'herbe du meilleur cru, je ne lui ai rien demandé, il pense par ce geste se faire mon complice, c'est évident. Koffi est un copain de Saint-Ange, il est sympa. Lui au moins n'a pas recours à nous pour son visa. Non pour lui, tout est automatique, il voyage en liberté, ils ne sont pas nombreux à pouvoir en dire autant.

Des vieux en costume-cravate sont les ministres ou les hauts fonctionnaires du pays, directeurs de la Banque

154

nationale ou des douanes, ils n'en sont pas moins obscurs et inconnus. Ils profitent de leur gloire du moment pour se faire voir en bonne compagnie. Ils ne sont pas les seuls à agir ainsi. Les têtes changent souvent, les costumes et les habitudes restent. Tous les soirs, ils fêtent leur anniversaire ou la nouvelle année, toutes les nuits ils sont en boîte. De Treichville au Blue Note en passant par le Temporel, à chacun ses endroits de prédilection. René et moi, nous sommes admis et bien vus partout. Notre statut particulier nous donne nos entrées. Même si les gens ne savent pas exactement la nature de nos activités, ils se doutent bien que nous sommes de gros magouilleurs et nous foutent la paix. Dans leur respect, il y a un mélange d'ignorance et d'inquiétude à notre égard. Des sentiments qui nous arrangent.

Saint-Ange est très occupé, non qu'il soit particulièrement mondain, mais il travaille, anime, salue, serre des mains, embrasse des amis qui ne valent rien, puis il vient nous tenir compagnie. La boîte se vide, il est très tard, ou très tôt, cela revient au même, les danseurs sont plus rares, les couples se défont, alors on remarque ceux qui sont serrés.

– C'est gentil de faire la fermeture avec moi les gars ! nous dit-il, vraiment j'apprécie, je vous aime les gars, il se marre, sa voix est rauque d'avoir tellement fumé. Il manque d'ailleurs de cigarettes et se précipite sur mon paquet.

– Je prends un bâton, marmonne-t-il dans son geste.

Je lui présente la flamme de mon briquet.

Rachelle, Tina et Pélagie ne viendront pas ce soir, leur heure est maintenant passée. C'est mieux ainsi, je ne suis pas suffisamment en forme pour leur faire de grands sourires, pour rire. Mon humeur oscille.

René boit maintenant le coca de Djeneba ; sans même prendre le verre en main, il penche seulement la tête sur la table, ses membres sont comme désarticulés et sans vie, il aspire le liquide avec un bruit affreux, les lèvres en avant, sans se rendre compte de rien.

La piste est totalement disponible à présent. Saint-Ange s'amuse à jouer au disc-jockey, il met son morceau préféré, de la soukouss antillaise, et nous dansons tous les cinq. René remue son corps comme un pantin victime de décharges électriques. Puis, déséquilibré, il s'étale par terre de tout son long, je le ramasse, il me paraît léger comme une plume.

Il est temps de rentrer.

Le ciel se lève sur Abidjan et l'air est gris. Le soleil n'offre qu'une vague lumière bleue au plafond des nuages. Pendant une demi-heure il fait un peu frais. Le vent de la mer arrive, percute la ville et s'en retourne. Peut-être écœuré, peut-être repoussé par les démons.

René me suit en zigzaguant. Nous arrivons à la maison. Coulibaly Mory boit son café, c'est le début de la journée pour lui, il pète le feu. Toute la nuit, il a veillé, s'est assoupi, s'est réveillé sur le carton qui est sa paillasse, son gros bâton toujours à portée de main.

À « New York », René va directement dans sa chambre. Il a dû s'écrouler sur son lit, un comportement déglingué, habituel pour lui, chacun le sien ; il n'a pas dû avoir la force de se déshabiller. Ses ronflements traversent les murs.

Je n'ai pas envie de me coucher, je ne pourrais pas dormir. Parler avec Saint-Ange, Djeneba, Saliou, danser un tube bien cadencé, je suis réveillé. Je pense. Impossible de trouver le sommeil. Je veux décompresser, alors je fume un joint et je retrouve ma tête. Puis, dans mon imagination, Tchétché s'impose, et j'ai une bonne idée, si j'allais la visiter ? Je me brosse les dents. L'alcool n'est pas sensuel, la drogue si. Je prends une douche rapide, je me change, tout en me demandant pourquoi j'ai encore tant d'énergie, mais m'en félicitant. Je vois de nouveau clair. Et je redescends.

Sur Franchey-d'Esperey, la Boulangerie de Paris ouvre juste, j'achète quelques croissants, et chez l'épicier Mauri du Nescafé, du lait concentré Nestlé, du beurre, du sucre et des bonbons.

Un taxi encore – encore et toujours –, je fonce chez Tchétché. Trouver du réconfort, le bonheur enfin, la rédemption ? Dans l'autre sens, je me relance dans Abidjan. Maintenant, c'est le plein matin, les bus bourrés à craquer d'âmes en peine serrées, celui qui vend des mandarines et qui en vendra trois dans la journée, le gareur de voitures pour 5 francs, le poulet-bicyclette dans les maquis, le poisson de lagune au goût de pétrole et d'égout, les fous tout nus, couverts de poussière, ils traversent les autoroutes, nonchalants, les flics qui arrêtent les gens sans autre raison que de leur soutirer de l'argent... Voilà notre quotidien, nous nous y sommes habitués doucement. Abidjan, ton double maudit vient au grand jour.

À la limite nord d'Adjamé, Tchétché habite Abobo, un joli deux-pièces de plain-pied sur un petit jardin donnant dans la cour d'un immeuble tout à fait convenable et tranquille. Les enfants dans la rue l'ont déjà prévenue de mon arrivée. Ils courent dans tous les sens, me regardent en riant et en se cachant les yeux. Je leur donne un bonbon à chacun.

Tchétché se réveille tout juste. D'un geste doux, elle ferme son pagne sur sa taille.

– Amidou ! Voilà une bonne surprise ! s'exclame-t-elle, visiblement heureuse de ma visite.

– J'ai les croissants, j'ai le café, j'ai tout, lui dis-je précipitamment avant même de la saluer, et je lui confie mon paquet.

Tchétché fait chauffer de l'eau. Elle me regarde du coin de l'œil, Tchétché me connaît.

– Ta nuit a été longue, me dit-elle de la cuisine, peut-être n'as-tu même pas dormi ? ajoute-t-elle, haussant légèrement la voix.

– Oui, je n'ai pas encore dormi.

– Tu es fatigué ?

– Ça va, dis-je dans ma barbe.

– Je te fais ton café très fort ? me demande-t-elle.

– Oui, s'il te plaît.

– Tu peux fumer ton herbe, si tu veux, ne te gêne pas...

Je vais l'embrasser.

– Merci, Tchétché.

Dans le salon, des dizaines de vêtements de pagne, des Wax et de très beaux Kita, sont suspendus à des cintres, eux-mêmes accrochés à un long portant. C'est le bordel dans sa maison. Des chutes de tissus chatoyants traînent par terre. Dans un fauteuil, des catalogues sont empilés comme des Bottins. J'aime bien son endroit, tout en couleur.

Le petit déjeuner nous fait du bien. Il est chaud et délicieux. Le café fume dans les tasses. Nous nous régalons de beurre sur du pain.

– Et si nous allions voir l'ASEC jouer contre l'Africa vendredi, c'est le match de l'année... proposé-je à Tchétché avec un regain de forme sans doute trompeur.

Elle a passé de l'eau sur son visage, elle est radieuse, ses cheveux sont tirés en arrière, quelques mèches adorables s'échappent de sa coiffure.

– Oh oui ! répond-elle.

– Invitons René et Brigitte, dis-je sur ma lancée.

– Avec plaisir ! dit-elle.

Les filles adorent le foot. Pour elles, se rendre aux matchs est une véritable joie, pour nous aussi.

– Et puis après le match, vous venez dormir à « New York », et le matin nous partons passer la journée à Bassam, qu'en penses-tu ? dis-je en conclusion pour que le programme soit vraiment complet.

– Bien sûr ! J'ai très envie de me baigner.

Nous sommes côte à côte, je sens sa hanche contre ma cuisse, et son odeur sexy. Faire l'amour nous appartient. Mais tout à coup ma vue se brouille, mes forces me quittent, j'ai des frissons. Mon trou noir vient de loin, une musique épaisse, en sourdine, joue un manège dans ma tête.

Tchétché me voit jaunir et trembler.

– Il faut dormir maintenant, mon chéri, entends-je encore en écho dans ma conscience évaporée.

Je ne résiste pas au sommeil. Le match de foot de vendredi, le café, les tartines, la nuit que j'ai passée dehors, le Blue Note et ses vapeurs, Rachelle, Tina et Pélagie, un chaud et froid, Tchétché, mon business, René, mes amis... tout se mélange. Cette mixture informe confond mon âme. Est-ce que toutes mes pensées, tous mes actes doivent se justifier ? De quoi suis-je donc coupable ? Je suis déjà dans les ténèbres. Je n'assure pas du tout. Ma bite est molle, je la sens toute rabougrie dans mon ventre. Avant de sombrer, je vois Tchétché – assise au coin du lit, le menton dans la main, maintenant sa forme se dissout dans mon espace – et son regard. Elle est inquiète.

En cette fin de semaine nous avons expédié, c'est le cas de le dire, les affaires courantes. Une famille de Gambiens au grand complet, avec enfants, armes et bagages, qui part pour le Portugal. Petite ambition. Un médecin complètement traumatisé parce qu'il a vécu au quotidien au service des incurables du CHU de Yopougon, qui nous tient un discours délirant sur l'avenir de l'homme, le marché des médicaments, les pratiques médicales d'ici, radicales, marteau, couteau, scalpel, il nous fait froid dans le dos. J'ai bien peur que le pauvre ne se remette jamais de toutes les horreurs qu'il a vues. Puis nous arrangeons le voyage de deux musiciens de reggae qui vont tenter leur chance à Paris, où ils doivent enregistrer un album avec des Anglais. Cognez le rasta les gars ! Cinq passeports sénégalais falsifiés, nous avons remplacé les photos, ce qui est l'exercice basique du trafiqueur que nous maîtrisons à peu près maintenant...

Et toujours des rendez-vous, des footballeurs, des marabouts, des employés, des commerçants, des ingénieurs (fuite des derniers cerveaux qu'il reste encore ici), des riens du tout... L'Afrique traversée, le tour du monde un peu aussi, les papiers, les papiers, les papiers...

Vendredi, jour du match, nous sommes restés coincés à « New York » une bonne partie de la journée. Une *marche* a mobilisé le quartier autour de notre immeuble. Nous avons donc annulé de fait tous nos rendez-vous de l'après-midi, d'ailleurs personne ne nous a demandés. Nos bippers sont restés muets, pas de signaux, pas d'alarmes. Quand une manifestation occupe la rue, nos clients ne se risquent pas dehors, ou rebroussent chemin à l'orée du Plateau. Même Coulibaly Mory s'est planqué dans la cahute qui lui fait office de loge.

De « New York », les manifestations sont des spectacles auxquels nous avons le loisir d'assister en toute sécurité, comme des Césars à Rome, les gladiateurs se massacrent en bas, et la fosse aux lions est loin. Aucun mouvement ne nous échappe. Nous pouvons même prévoir, grâce à notre champ panoramique sur l'action, les déplacements des acteurs, les hésitations des uns, l'anarchie des autres, nous pouvons distinguer les meneurs, ils gesticulent comme des fourmis.

La manifestation s'est scindée en plusieurs morceaux. Une vingtaine de policiers sont vite débordés, ils sont deux cent cinquante à trois cents en face. Deux camions de soldats arrivent en renfort, les hommes sautent immédiatement des véhicules, décidés, bottés, prêts à péter des gueules. Des marcheurs téméraires viennent provoquer les forces de l'ordre. Ils lanceraient bien des pierres. Mais, à Abidjan, il n'y a pas de pierres. Quelques bagarres isolées éclatent, courtes mais extrêmement violentes, des casques volent, des blessés gisent sur le pavé. Certains membres de la manifestation veulent avancer sur une caserne, et en sont empêchés d'extrême justesse par une garde spéciale appelée en second renfort. Les miliciens déblaient le quartier à coups de matraque et de gaz lacrymogène. Des balles sont tirées, balles à blanc ? balles réelles ? Je ne sais pas. Une épaisse fumée envahit les environs, une fumée blanche, irrespirable apparemment, les gens ont couvert leurs gorges et leurs nez de chiffons, de foulards pour ceux qui en possèdent. Les flics crachent, toussent et souffrent également. Aussi spontanément qu'elle s'était formée, la marche se disloque complètement et les marcheurs s'enfuient en ordre dispersé. On compte maintenant un plus grand nombre de militaires que de manifestants sur le champ de bataille.

Des irréductibles, costauds et bien organisés, ont résisté encore vigoureusement, tapant avec des barres de fer et retournant des grenades à l'envoyeur, puis se sont évanouis dans le quartier. Ils passent les ponts, disparaissent près de la lagune.

Je vois des traces de sang sur le bitume.

Il est difficile de se rendre compte de l'impact réel de telles manifestations sur l'ensemble de la population. Mettent-elles l'ordre précaire établi en danger, ou représentent-elles l'expression spontanée et impulsive de groupes marginaux ? Les marches ne regroupent que rarement plus de quelques centaines de participants, des chiffres assez dérisoires en fait. Mais elles se succèdent les unes aux autres, elles se durcissent dans les combats, systématiques maintenant, et la violence.

J'ai eu peur que le match de ce soir ne soit annulé. Mais non. En début de soirée tout était calme, absolument. Comme s'il ne s'était rien passé.

Brigitte et Tchétché sont arrivées à l'heure et de très bonne humeur, avec leurs sacs, leurs maillots de bain, leurs serviettes, leurs petites affaires pour le week-end. Elles n'étaient même pas au courant de la manifestation. Nous n'avons pas insisté.

*

J'apprécie toujours d'avoir des amis dans le milieu du sport de haut niveau. Peut-être parce que moi-même dans ma jeunesse, j'ai flirté de près avec le football professionnel. Je suis un peu partie prenante dans ce monde à part. Il existe une complicité intime entre les footballeurs professionnels et moi, une compréhension mutuelle fondée sur la reconnaissance des mêmes codes. Quand la télé ivoirienne nous passe des matchs de championnat ou de Coupe de France, je reconnais parfois des ex-collègues.

Je partage ma passion du football, et du sport en général, avec tout mon entourage. Le football en Côte-d'Ivoire, comme dans toute l'Afrique, est le divertissement le plus prisé. Je soupçonne même certains Ivoiriens de préférer le ballon à la femme, à la danse ou à la bière. René est aussi assidu et passionné que moi des matchs de championnat. En manquer un lui brise le cœur. De temps en temps, je le surprends à lire un vieux *France Football* de l'année dernière. Il semble l'apprendre par cœur. Nous causons du Paris Saint-Germain.

Le football est mon jardin secret, il me permet de faire abstraction de tout, un match, un ballon et rien d'autre n'existe plus. C'est ballon que j'aime, chaussures à crampons, buts, terrain... Football me sauve la vie.

Traoré Abdoulaye, l'avant-centre vedette de l'ASEC, est un copain. Un relais également. Il nous présente des gens. Des collègues qui souhaitent tenter leur chance en deuxième division portugaise, allemande ou belge. Ceux-ci, nous les soignons particulièrement. Il m'est arrivé de construire de A à Z le dossier d'un jeune espoir plein de talent, un milieu offensif, pour qu'il puisse exercer sa virtuosité en France, et gagner de l'argent. Tout au long du business – je rencontrais le jeune trois ou quatre fois en dehors du terrain –, je l'encourageais vivement, prolixe dans mes conseils et mes avertissements. « Prends exemple sur Serge-Alain Maguy, lui disais-je, ne fait-il pas aujourd'hui les beaux jours de l'Atletico de Madrid, en tête du championnat d'Espagne ? Regarde Tiehi Joël, il marquait but sur but quand il jouait au Havre ; transféré à Lens cette saison il cartonne toujours autant ! De plus, un footballeur de qualité aura plus vite fait de régulariser sa situation administrative et nationale que le premier quidam venu de Barbès-sur-Niger ou bien d'Aubervilliers-lès-Bamakos. De Salif Keita à Roger Milla, Jean-Pierre Tokoto ou André Kana-Biyick, François Mpelé, Joseph-Antoine Bell ou George Weah, je pourrais fournir une liste impressionnante de footballeurs, hier libériens, maliens, camerounais, guinéens, ou congolais, aujourd'hui français, riches, en paix et en sécurité grâce à leurs buts et à leurs exploits.

Aucun joueur à l'heure actuelle reconnu, aucun international, n'est jusqu'à présent passé par nos services. Mais je ne désespère pas de dénicher l'oiseau rare, LA star ! P.S. : si un bon club français veut me confier un rôle de recruteur, je suis prêt.

En dehors de ses coreligionnaires, Traoré Abdoulaye nous conseille de ses amis fort désireux de voyager à l'étranger. Nous prenons également bien soin d'eux. Traitement classe A. Ce sont des clients masculins pour la plupart, jeunes, bien élevés, et argentés. Des opérations propres et sans bavures. Traoré ne se moque pas de nous. Pas de galères, que des gens faciles et bien.

165

Traoré Abdoulaye a lui-même voyagé, puisqu'il a joué en division II, en France, à Avignon si je ne m'abuse, il y a de cela quelques années. Nous ne nous connaissions pas à l'époque. Traoré Abdoulaye me montre souvent ses cicatrices, fruits de blessures récoltées sur tous les terrains en champ de patates de France et de Navarre. Abdoulaye s'est confronté aux plus rudes défenseurs centraux de Louhans-Cuiseaux, Chaumont ou Valenciennes – croisant par la même occasion Jacques Glassman à son marquage –, il sait de quoi il parle.

D'incroyables souvenirs me reviennent. De la division II, moi aussi j'en ai bavé. Je jouais au Red Star, l'étoile rouge de banlieue, à Saint-Ouen, derrière le marché aux puces. Comme si c'était hier, je me revois aux entraînements les vendredis soir d'hiver, sous la lune, et le boulevard périphérique perpendiculaire au terrain, éternellement embouteillé, les fumées des bagnoles, les néons publicitaires pour Hitachi, Sony, Seiko plantés dans les crânes des HLM du no man's land qui sépare Paris de sa banlieue. Je me souviens encore très bien de Jean-Claude Bras, le président Rouge du club, un homme déterminé, de fer, et de dialogue aussi. Il avait fait venir Sergui Rodionov du Spartak Moscou, un très bon attaquant et un type sympa. Jean-Claude Bras me poussait au cul : tu as des qualités Diallo, me disait-il, engage-toi ! vas-y, prends des risques ! soigne ton jeu ! Je n'oublierai jamais ses briefings d'avant-match, son amour du fair-play et du beau jeu, Jean-Claude Bras, un homme loyal. Je n'oublierai pas non plus ce jour de gloire ! il faut bien l'appeler ainsi, ce quart de finale contre Bordeaux alors au top.

François Lemasson jouait dans les buts, il fait une bonne carrière pro à Cannes. Salut François ! Notre

166

capitaine s'appelait Alain Polaniok, un ancien du PSG. Moi, durant tout le match, je me suis coltiné Didier Sénac sur le dos, le vieux stoppeur girondin, pas rapide mais massu, alors pensez donc, avec mes soixante kilos dont le poids des dreadlocks rasta que je portais à l'époque, je tournais autour comme un moustique. Régulièrement, je me cassais les dents sur ses tibias. Le match, je l'ai passé les trois quarts du temps par terre, les fers en l'air. J'étais éjecté sur les corners et les coups de pied arrêtés... et pour le passer balle au pied... une charge d'épaule, je volais. Je n'ai jamais pu placer mon crochet et ma frappe en enchaîné. J'ai plané toute la soirée. Pas de drogue, pas d'alcool non plus, Didier Sénac au marquage. J'ai dû tirer deux fois au but, pas du tout cadré. Nous avions perdu le match, 2 à 0, sans avoir eu l'impression de l'avoir joué. Exit le rêve d'une finale au Parc, la poignée de main du Président, 50 000 spectateurs, toutes les télés, et les copains fumant leurs joints devant la retransmission.

En fait, je crois que j'étais trop léger physiquement pour passer à l'échelon supérieur. Mais je me battais, j'en voulais, je m'arrachais. Et finalement, si ce putain de genou gauche ne m'avait pas lâché, j'y serais peut-être arrivé. Qui peut savoir ? Bilan, j'en ai chié salement six mois à l'hôpital, et la rééducation en suivant... J'ai bien failli me flinguer. Enfin, quand je vois où j'en suis, je me dis que la vie est étrange. J'aurais pu être footballeur professionnel, modeste mais professionnel tout de même, jouer à Metz, à Reims, à Merlebach, à Sedan, rester au Red Star aussi, je suis trafiqueur de papiers, avant je vendais des bananes... Oui, vraiment !

167

Je n'ai pas tout à fait perdu le contact avec le ballon rond. Très modestement, je participe aux tournois de Maracana, football à 7, petits buts et pieds nus sur la terre battue. Je joue pour Blokosso, un village isolé en pleine ville, collé à la lagune, derrière l'hôtel Ivoire de Cocody.

Les matchs durent trente minutes, je peux disputer quatre ou cinq parties dans un seul après-midi. René m'accompagne, c'est un excellent spectateur, il observe en connaisseur la technique des joueurs, la tactique des équipes, les qualités des individualités. Les bras croisés, du bord de la touche, il me donne volontiers un conseil sur mon placement, mon jeu collectif, mes relances, mes dribbles... Mais pour bouger, René c'est non. Taper dans le ballon, souffler, crier, rire et, plus encore courir, il n'en a aucune velléité. Il est égal à lui-même, sérieux, les mains dans les poches, juste à côté de ses pompes, il plane.

Et moi, je cavale dans tous les sens, je m'escrime, je m'escrime. Allez réussir vos contre-pieds et vos une-deux dans le sable, vous ! C'est épuisant. Les cages sont minuscules. Chaque but marqué est le fruit d'un travail de précision, d'orfèvre du ballon rond. Comme au volley-ball, les joueurs tournent et tour à tour changent de poste, attaquant, défenseur central et même gardien. Je m'éclate totalement dans le jeu, j'oublie tout, c'est magnifique ! Et quand le jour cesse, le football s'arrête, mais la fête continue, dans les maisons, chez les équipiers, les adversaires, les amis, j'ai souvent des crampes. Cette nuit-là, toute mon énergie est partie dans la beauté de la vie, je dors comme un bébé.

Parfois, Traoré Abdoulaye vient nous voir jouer. C'est un honneur. Traoré Abdoulaye, Ballon d'Or Africain, Champion d'Afrique des Nations, entre autres dans son superbe palmarès. Avec élégance et simplicité, il porte un long boubou sur ses épaules de buffle, et des sandales musulmanes aux pieds, loin de sa tenue de sportif. Traoré Abdoulaye sort de la mosquée, il égrène encore son chapelet et marmonne les trois sourates obligatoires, il est à l'aise, décontracté. Ses supporters, hommes ou femmes, lui vouent un véritable culte, mais comme tout grand champion, il est respecté, personne ne vient l'ennuyer. Il signe volontiers des autographes à des gamins émerveillés et leur paie des bonbons et des sucreries. Et des tournées de Fanta orange.

Nous allons boire un verre au Golf Hôtel à la Riviera, où Traoré a ses habitudes. Dans les jardins du palace, nous nous promenons, les pieds au chaud dans l'eau de la lagune – elle est filtrée à cet endroit –, notre vie dédiée au football, dribblant, shootant, crochetant, dégageant, amortissant le ballon de notre imagination dans les vagues minuscules que lève le soir. Nous parlons de tel ou de tel joueur que nous avons connu en D I ou en D II, j'admire Safet Susic, Luis Fernandez – il est enfin revenu et grimace « à la Luis » sur le banc de touche – et Dominique Rocheteau quand ils jouaient tous chez nous. Et parlons de Mustapha Dahleb, de Bernard Lama, des courses ondulées de David Ginola, des progrès techniques de Vincent Guérin, de la maestria de Candido Filho Valdo, de tout le PSG !

Nous continuons nos récits. Je raconte à Abdoulaye mon voyage en train, entre Saint-Étienne et Paris, avec Jean-Claude Pagal le Camerounais, le Lion Indomptable. Traoré Abdoulaye, un peu de tristesse dans la voix, me confie son intimité avec son ami José Touré... « Exceptionnel, il était exceptionnel ! » me dit Traoré, à moitié dans un songe. Touré a finalement pété les plombs, il a essayé de se suicider en se précipitant par la fenêtre de son appartement – c'est tentant, on l'a vu, je le comprends –, fait de la prison pour outrages à agents. Le football peut mener à de terribles extrémités. J'en ai fait un peu l'expérience.

Puis Traoré Abdoulaye me parle de moi :

– Maracana, c'est bon, mais toute l'année c'est trop rasta pour toi, me dit-il avec une moue significative.

– Je m'amuse, ça va, lui dis-je, coupant court au débat qui me pince déjà le cœur et me chatouille les mollets, me prend aux tripes et aux chevilles.

– Viens t'entraîner avec nous, c'est akwaba, me dit-il, Philippe N'dioro bosse avec nous, il joue à Nice, tu peux venir...

Je me doutais de sa proposition, il me la fait à chaque fois. Et à chaque fois je refuse. Ne jamais retourner dans une ancienne maison, dit le proverbe. Non, je ne revois jamais les femmes que j'ai aimées.

Je prends Traoré par l'épaule.

– Merci Abdoulaye, je n'ai plus le niveau, tu sais.

Je suis trafiqueur de papiers, voilà la vérité aujourd'hui. La vérité à laquelle je suis accroché, pendu.

*

Soixante mille spectateurs, dont nous quatre, René, Brigitte, Tchétché et moi, hurlent dans le stade Félix-Houphouët-Boigny chauffé à blanc. Les places ne sont pas chères – c'est bien la seule chose bon marché ici – et nous avons acheté les meilleures, des « présidentielles ». Nous assistons au match dans d'excellentes conditions. Un peu de luxe fait toujours beaucoup de bien.

ASEC-Africa Sport ! le match de l'année ! une vieille et éternelle rivalité. D'un côté, l'Africa Sport, le club des *grottos* [1] et des bourgeois, milliardaire. De l'autre, l'ASEC, l'Association des employés de commerce, les Mimosas, l'espoir, prolétaire et populaire, millionnaire. Nous sommes venus supporter l'ASEC, notre équipe. Avec les supporters de l'autre camp, nous nous partageons les tribunes, est et sud pour eux, ouest et nord pour nous. Il s'agit de faire le plus de bruit possible, et de couvrir les voix de nos adversaires, pour ne pas dire de nos ennemis. Nous, les Acétistes, les Mimos, sommes plus nombreux que les « Africains », mais ils sont équipés de porte-voix, ils ont même un ampli sur lequel ils ont branché un chœur de guitares électriques.

L'enceinte vibre sous les clameurs, les chants, les rythmes de toutes les percussions, les tam-tams, les cloches et les batteurs, déplacés pour l'événement. Les danseurs des deux camps se sont peints de guerre. Les masques de cérémonie, les costumes traditionnels, les maillots des joueurs avec leur numéro et la publicité enfilés sur le raphia ou le pagne, leurs attitudes, tout est très beau. Et tout fait peur, impressionne l'adversaire. Les associations de Fanatiques et d'Ultras ont convoqué leurs meilleurs marabouts et leurs meilleurs sorciers. Les « Africains » les ont installés en un seul bloc compact, ils sont une trentaine parés de toutes les couleurs, ravis d'avoir été invités, le transistor collé à l'oreille pour avoir les commentaires. Pour notre part, nous avons disséminé nos shamans experts en exorcismes sportifs tout autour du terrain. Je les vois s'affairer avec des gris-gris et des

1. *Grottos* : notables abidjanais.

171

imprécations. Un de nos marabouts, échappant à la vigilance du service de sécurité, prie dans les filets, ce qui déclenche la bronca et des bordées d'injures des supporters d'en face. À chacun sa tactique pour vaincre. Nous encourageons notre marabout, des bananes et des tomates pourries commencent à pleuvoir sur lui. Je me demande si Barbès-Clichy supportait notre ASEC ou l'Africa. Je ne préfère pas le savoir.

Le match s'annonce bien. Nous avons mis du jaune sur nos joues, nous battons des mains, tapons des pieds, nous chantons et les filles dansent, je fume joints sur joints. Il fait chaud dans l'ambiance.

L'heure du match a sonné. L'arbitre et les juges de touche sont au centre. Traoré Abdoulaye, le brassard de capitaine au biceps droit, pénètre le premier sur le terrain – et toute son équipe, l'ASEC ! court derrière lui – le buste haut, les jambes solides et sportives, légèrement arquées, les cuisses épaisses. Traoré Abdoulaye vient nous saluer, embrasse la foule, nous jette des fleurs, des mimosas bien sûr ! Philippe Troussier, l'entraîneur, le Grand Sorcier blanc comme on l'appelle ici, s'assoit sur le banc. L'arbitre donne le premier coup de sifflet. Le ballon est engagé.

Quatre-vingt-dix minutes durant, nous nous cassons la voix, nous poussons notre équipe du cri, du hurlement et du chant. Supporter son équipe est un sport de combat en soi. René fait une démonstration de Chant de la victoire, il nous donne plus de volonté, plus d'engouement, et de plus belle nous encourageons notre équipe à aller de l'avant. Évidemment, en deuxième mi-temps, sur deux rushs rageurs de taureau bien dans son style, Traoré Abdoulaye mystifie la défense adverse, et notamment son garde du corps, Hobou Arsène, pour crucifier deux fois le gardien de l'Africa. La fin du match est une formalité, l'Africa Sport n'ayant ni les moyens physiques ni les qualités techniques pour revenir au score, nous dominons notre sujet et les débats. Nous sommes transportés de bonheur, nous sommes vainqueurs !

Nous pouvons quitter le stade, fiers de notre club mais aussi contents de nous. Sourds et aphones, nous nous lançons malgré tout dans une pluie d'analyses technico-tactiques et de synthèses footballistiques spécialisées. Nous recommençons le match.

De la peinture jaune nous coule dans le cou, nous sommes tout en sueur, décomposés. Tchétché agite un petit drapeau, comme un trophée sur le champ de bataille qui bat encore au vent.

Épuisés, nous passons une soirée tranquille à « New York », vautrés dans le canapé et les fauteuils, encastrés l'un dans l'autre par couple, à grignoter devant la télé. Après un dernier joint, que je fume seul comme d'habitude, mais mes amis restent avec moi, nous nous couchons avec des rêves de coupes, de victoire finale au championnat, de participation, et de triomphe même, à la Coupe d'Afrique des Clubs Champions. Je me rêve à la Coupe du Monde, battant les Allemands à plate couture, brandissant le trophée, puis tout disparaît... Je me suis endormi.

*

Le lendemain matin, très tôt, c'est suffisamment rare pour être souligné, nous partons pour Bassam. Il fait un temps superbe, le ciel est dégagé et bleu – il est si souvent noir ou gris. Le jour nous sourit. Nous sommes

173

heureux comme des enfants, encore un peu sur le merveilleux souvenir de la veille. Nous attrapons un taxi à la gare routière de Treichville, boulevard de Marseille, en face du palais des Sports, là où ont lieu la plupart des grands concerts de reggae. Une demi-heure plus tard, après avoir longé le boulevard lagunaire, nous arrivons à la plage, la plage infinie, déserte, bordée de cocotiers, la plage de sable rose et souvent transparent.

Autant Abidjan peut être une ville laide, autant tout de suite le pays est magnifique et sauvage quand il est préservé de la main sale de l'homme. La nature en liberté brille de toutes ses fleurs, de ses feuilles riches, de ses papillons, de ses poissons. La route longe la mer, nous avons baissé les vitres du taxi, le vent de l'Océan nous caresse les joues. L'air marin nous rend ivre et fou, mais c'est un air sain et doux. La vie sait être belle, malgré tout.

Autrefois, la plage de Bassam était envahie de week-endards, de vacanciers, d'étudiants venant se payer du bon temps. Aujourd'hui, personne ne s'aventure plus ici. Les petits hôtels du bord de mer sont tous fermés, il faut aller en ville pour trouver une chambre. On ne se risque plus dans le coin, on y parle d'insécurité, décidément. Le soir, il arrive effectivement que des bandes de voleurs surprennent les gens sur la plage et les laissent tout nus, dépouillés complètement.

L'Océan est à nous. Nous dormons sur la plage toute la journée. Le soleil fait son gros œuvre sur ma peau, tanne un peu plus mon visage et mon dos. Aussi étrange que cela puisse paraître, alors que leurs peaux sont si noires, René et Brigitte bronzent, Tchétché (elle est plus claire et caramel) fonce également, j'aime le soleil sur ses joues. Puis Brigitte ôte son maillot et se met toute nue, ses fesses, ses cuisses et ses seins énormes explosent dans l'espace, entre sable et soleil, entre le bleu profond de l'eau, toutes les nuances de vert de la cocoteraie. Toutes proportions gardées, Tchétché imite Brigitte et nous offre son strip-tease. Son corps menu et délicat donne du sexy et du pervers à la scène. Nous nous mettons tout nus également, René et moi. Et saisissant nos femmes, qui par la taille, qui par le bras, nous nous précipitons et plongeons dans l'Océan délicieux. L'eau claire est douce, l'Atlantique nous appartient. Le gabarit des vagues est idéal, elles nous emportent, mais pas trop loin. Nous nous précipitons dans les rouleaux, buvons des tasses salées... Le bain est chaud, nous nageons et nous nous prélassons pendant deux heures.

Sortis de l'eau, au maquis La Belle Mer, nous commandons poissons et atiéké avec bières et Coca-Cola. Même René mange de bon appétit. Une fois notre repas achevé, et suivant une petite sieste digestive, j'emmène Tchétché dans la forêt ; nous trouvons une minuscule clairière et nous étendons notre pagne. Nous faisons l'amour à quatre pattes, mêlés aux animaux, à leur image, avec le bonheur simple de nos deux corps en transe, de nos deux sexes, l'un ouvert, l'autre tendu, partie intégrante de notre esprit. Où sont passés Brigitte et René ? nous demandons-nous. Il ne nous étonnerait pas qu'ils se livrent à la même activité que nous, le petit gars à cheval sur la superfemme.

À la tombée de la nuit, nous partons pour la ville.

Dans l'ancien temps, Bassam était une préfecture, la première de la colonie. Elle garde le squelette de sa grandeur passée, de grandes demeures coloniales aux trois quarts ruinées qui, branlantes, menacent de s'écrouler à chaque instant. Des pêcheurs et leurs nombreuses familles les squattent.

Certains quartiers de Bassam ont subi des tentatives de restauration demeurées sans suite. L'histoire ressemble ici à de l'abandon. Dans les rues, on sent plus la présence des fantômes que l'on ne voit d'êtres vivants. Nous marchons tous les quatre, côte à côte, nous occupons toute la largeur de la rue. Aucune voiture ne viendra nous klaxonner.

Le ciel s'est couvert de gros nuages noirs, il fait bientôt nuit, la pluie commence à tomber, fine et rafraîchissante au début, mais très vite lourde et tropicale. Nous courons nous abriter à l'Hôtel de la Préfecture, où nous prenons deux chambres pour la nuit. Nous rions ensemble de bon cœur, à moitié trempés, essoufflés d'avoir couru pour échapper à l'orage, regonflés de forces par la bonne journée que nous venons de passer.

Nous consacrons notre nuit à l'amour puis nous décalquons sur le dimanche la même ambiance que le samedi. Sieste, sexe, natation et plongeons, bières et pour moi pétards. La meilleure vie possible dans le meilleur des mondes imaginés. Le but de ma vie, mon idéal, je le définis : vivre entre un terrain de football et une plage dorée, entouré d'une femme, de mes joints, de mes amis, de poisson et d'atiéké.

*

Mais il faut travailler. Coûte que coûte. Engranger du pognon, survivre, amasser des tapis de billets de banque, satisfaire nos clients.

Reprendre le train-train quotidien après un week-end de liberté, c'est toujours difficile. Les soucis, les angoisses du boulot, infernale spirale, chienlit, franchement, croyez-moi, je les supporte de moins en moins, j'en ai marre.

Ce soir je baise Marie-Chantal, mon acolyte à l'ambassade de France, exercice périlleux mais nécessaire. Il faut faire face. Je ne l'ai pas vue depuis notre dernière conversation téléphonique. J'ai besoin d'elle, Marie-Chantal a besoin de moi.

Je vais chez elle vers dix heures du soir. Ses enfants sont endormis. Comme pratiquement toutes les nuits, son mari est sorti avec ses collègues faire une descente dans les maquis de Yopougon. Leur jeu préféré ? Attraper des adolescentes noires, à peine pubères. Elles resplendissent dans la Cité. Ils les ramassent dans leurs voitures, les emmènent dans un hôtel foireux et font absolument ce qu'ils veulent avec elles pour 1 000 francs. Ils adorent sodomiser les petites à plusieurs, leur éclater le derrière et se faire sucer la queue jusqu'à plus soif.

Marie-Chantal est secrétaire à l'ambassade de France, son mari profite d'un poste officiel de sous-diplomate dans je ne sais quel service. On l'a mis là avec un bon salaire, une belle baraque avec piscine, une voiture de fonction, une bonne, un boy-cuisinier, un boy de nuit. Dans cette maison, l'ambassade de France, la plupart des fonctionnaires expatriés sont ignares, dégénérés et alcooliques, ces trois adjectifs réunis forment un tout dégueulasse. Ce n'est pas beau à voir. Le mari de Marie-Chantal ne fait pas exception à la règle, bien au contraire.

Marie-Chantal est donc délaissée par son homme, au profit de négresses en chair, jeunes, rebondies et coopératives pour de l'argent.

Elle devient dingue, Marie-Chantal, seule dans sa maison. Elle se morfond, elle se pose toutes les questions.

Son mari fait l'orgie et la fête ailleurs, elle le déteste. Les copines et collègues de Marie-Chantal sont logées à la même enseigne. Elles sont privées de caresses sur leur peau rosie de boutons, ou grasse et rêche, attaquée de dermatoses, du moindre baiser sur leurs lèvres sèches.

J'ai sonné deux coups secs au portail d'entrée. Salif, le boy malien, se précipite pour m'ouvrir. Pieds nus sur le sol, il court dans la nuit sans faire de bruit.

– Abedi ! Je le salue, roulant le b comme un r mâtiné de v.

– Abedi ! me répond-il.

– Ikakéné ?

– N'kakéné, dit-il en ouvrant la porte de la maison. Marie-Chantal n'en sait rien, mais je laisse régulièrement 2 000 francs à Salif.

Marie-Chantal est dans l'entrée, elle est nerveuse.

– Entre vite...

Je me glisse dans le salon. Il sent le tabac froid. La décoration de la pièce d'un mauvais goût défiant tout entendement ressemble à celle d'un pavillon de banlieue, de l'Oise ou des Yvelines, reconstituée. Marie-Chantal est déjà en train de boire, elle a rempli son verre d'un mélange de vodka et de martini et m'offre un whisky-glaçons. J'accepte. Marie-Chantal boit. Mais qui ne boit pas ici ?

– Tu vas bien Marie ? lui dis-je.

– On fait aller, me répond-elle, ma vie est pourrie tu sais.

Marie-Chantal est une fille cynique.

– Bon, à part ça ?

– Ils essaient de nous faire chier à la « boîte » (l'ambassade). Depuis le changement de gouvernement, Paris est encore plus parano qu'avant, ils parlent de nous envoyer des inspecteurs, plus une seule entrée en France, disent-ils, plus un visa, ça me fait marrer...

Un silence.

– Toi, tu t'en fous, tu ramasses, ajoute-t-elle, elle part dans un rire étranglé. T'as raison, profites-en mon garçon... profites-en... Tu dois commencer à être riche maintenant... Qu'est-ce que tu vas faire avec tout ce fric ?...

– ...

– Oh pardon ! ça me regarde pas, bien sûr...

Je la laisse parler, mais Marie-Chantal se tait maintenant, elle se détourne de moi et se ressert un verre.

– Tu as quand même pu penser à moi ? lui demandé-je gentiment.

– Oui, finissons-en avec ces conneries...

Marie-Chantal m'apporte une trentaine de récépissés d'exception qui me permettront d'obtenir des visas en bonne et due forme. Elle les jette avec désinvolture sur le canapé, indiquant par son geste qu'ils n'ont absolument aucune valeur pour elle, elle les dédaigne. Elle me tend également deux cachets, dont l'un comporte la signature du vice-ambassadeur.

– Je te les laisse deux jours, me dit-elle en me les donnant, puis en me les retirant, tu me les rapportes dans deux jours. J'aurai ainsi le plaisir de te revoir...

– C'est du chantage ? lui dis-je, vaguement surpris.

Marie-Chantal rit de sa repartie, un rire alcoolique. De ce rire que je hais, qui me bouscule et me heurte.

– Mais non, de la nécessité mon vieux, on pourrait s'inquiéter de leur disparition, c'est ça que tu veux ?

– D'accord, deux jours, dis-je en conclusion.

Deux jours, c'est amplement suffisant pour fabriquer

une copie. Quant aux récépissés, c'est exactement ce dont j'ai besoin.

– Merci, Marie-Chantal, lui dis-je avec humilité.

Voilà comment une secrétaire détourne des formulaires pour moi, les vole dans le tiroir de son chef de service en s'arrangeant pour qu'il ne s'aperçoive de rien. Ce qui n'est pas trop difficile, vu l'ardeur fatiguée que met ce dit chef de service à son travail.

Parfois, j'interviens directement à l'ambassade. Marie-Chantal m'ouvre toutes les portes avec ses clefs, m'avertit de la présence ou de l'absence du personnel. Je m'installe tranquillement dans les bureaux. D'un dossier du dessous, je fais un dossier du dessus. Je lis les fichiers, je les modifie. Encore une fois, grâce à ma complice dans la place, je monte des arrangements pour mes clients, j'organise des rendez-vous. Marie-Chantal me confie les circulaires officielles de Paris qui régissent les conditions d'attribution des visas, les nouvelles instructions du ministère, elles changent tout le temps, plus en fonction de l'ambiance politique du moment que dans le souci d'éviter les fraudes. Quoique ces derniers temps, apparemment...

Quand je ne peux pas m'incruster à l'ambassade pour une raison $x$ ou $y$, Marie-Chantal le fait pour moi, froidement, sans état d'âme, elle m'assure ne prendre qu'un minimum de risques. Je ne discute pas avec elle, elle n'est pas femme à discuter. Une espèce de femme d'action, elle aussi, perdue, larguée en Côte-d'Ivoire. Nous sommes tous les mêmes.

Je magouille la bureaucratie française en comptant sur les hommes et leurs faiblesses. Elles sont nombreuses et ils sont vulnérables. À quelque niveau que ce soit de la hiérarchie.

– Bon, baise-moi maintenant, m'ordonne pratiquement Marie-Chantal.

Dans un mouvement rapide, elle retire sa robe et son slip, puis me prend la bite sans ménagement, me tâte les couilles, et me branle jusqu'à ce que je bande assez fort pour la pénétrer. Je réagis. J'ai des mauvaises idées de viol sale. Marie-Chantal s'allonge sur le dos, elle écarte les bras, ouvre les cuisses et me soumet sa gynécologie à défoncer dans un sabbat pornographique. Je n'ai pas le choix, c'est le contrat.

Bien que je n'aie aucune sympathie particulière pour elle, je n'arrive pas à détester Marie-Chantal. Peut-être parce que nous nous ressemblons. Nous recherchons tous les deux une satisfaction immédiate.

Je fais l'amour avec Marie-Chantal. Je la lime puis elle m'éjecte, se tourne à la chienne et lève son cul. « Vas-y à fond », me dit-elle simplement, la voix rauque. Je sais qu'elle prend une vengeance sur la vie qui la maltraite, sur son mari, sur son éducation, sur ses enfants. Et nous souffrons, tous les deux, en corps à corps, de nos deux consciences cassées, de nos deux existences sacrifiées, sans que nous n'ayons plus les ressources pour les changer.

Marie-Chantal jouit, ma bite est chaude et j'éjacule, enfin je m'écroule sur elle, puis respire sur ses seins abîmés par les maternités et le laisser-aller.

Un bruit de moteur, dehors, soudain. Puis le grincement caractéristique d'un freinage mal contrôlé. Je me redresse.

– Ne me dis pas que j'entends ton mari dehors ?

– Si, c'est lui, qui veux-tu que ce soit ? Mais qu'est-ce qu'il fout à cette heure-ci ?

Il n'est pas encore minuit.

Marie-Chantal ne cède pas à la panique. Elle sait que son mari, de toute façon, est imprégné de whisky. Quand il est ivre, il vit dans un monde parallèle, complètement déconnecté de la réalité. Je n'ai rien à craindre en fait. Mais moi, je ne veux pas qu'il me voie, c'est tout.

– Prends tes affaires, passe par le jardin de derrière, me dit-elle seulement.

Je me lève, le pantalon à la main, la bite et les couilles battantes. Je crois rêver. Je me retrouve maintenant dans une scène de pur vaudeville. Je déteste ça. Je me sens très con.

Je traverse la maison, sur la table du salon je récupère vite fait et les cachets et les récépissés. J'ai juste le temps d'apercevoir le mari de Marie-Chantal, il a ouvert la portière de sa voiture et s'est écroulé le nez dans la pelouse. Il rampe vers l'entrée en gerbant et laisse des traces à sa suite, on dirait la bave infâme d'un escargot mutant. Salif vient l'aider à se relever. Mais il l'écarte brusquement.

– Fous-moi le camp de là ! hurle-t-il, toujours gerbant.

Le boy s'écarte, une expression de peur et de haine mêlées sur son visage.

Le Blanc vomit par à-coups, c'est une fontaine de dégueulis. L'image de la dépravation.

Je suis passé par la lingerie et j'ai sauté la petite barrière qui protège le jardin. Je manque de tomber dans la piscine. Je suis furieux. Mais qu'est-ce que j'en ai à foutre de ce connard et de sa putain ? Mais qu'est-ce que je fous là, le cul à l'air, dans la nuit noire ? La baiser et me casser, prendre mon taxi, à la rigueur je veux bien. Mais là, j'ai plus que honte, je me sens humilié. Je me suis humilié moi-même. Je pensais avoir de la dignité. Je n'en ai plus depuis longtemps. Cette situation pourrait – et devrait – me faire rire. Mais je n'ai pas du tout envie de me marrer. J'ai plutôt envie de tout péter, de tout casser, d'exploser, de sauter au cou du mari de Marie-Chantal, de lui casser la gueule, de l'étriper, pour le seul plaisir de me défouler – je passe mon temps à dealer avec les pires des connards. Je pourrais le tuer de mes propres mains, lui arracher le cœur et la glotte, ça me ferait du bien, j'en suis sûr, être son meurtrier. Je tremble à cette idée. Je doute de tout, je ne suis plus moi-même. Depuis longtemps, encore une fois.

Le mari de Marie-Chantal gerbe toujours, tous ses sucs gastriques sont étalés devant la maison.

Salif se tient en retrait, horrifié.

– Il faut téléphoner docteur, madame, il faut téléphoner docteur, l'entends-je dire à sa patronne.

– Laisse tomber, veux-tu, lui répond-elle.

– Mais, madame...

– Salif, j'ai dit : laisse tomber.

– Oui, madame, s'incline le boy.

Le Blanc réussit finalement à entrer dans la maison, j'entends ses grognements alcoolisés et sourds, des hurlements hystériques, puis un bruit de vaisselle cassée, et les cris des gosses qui se sont réveillés. Joyeuse nuit ! Salif réapparaît avec un seau et une serpillière.

Tiens, moi aussi je voudrais gerber à mon tour, pour me libérer, me laver, me purifier de cet enfer, mais je ne peux pas, je suis sec. Je n'ai rien à dégueuler, mon dégoût et ma merde me regardent et me tiennent, ils m'obligent à discuter avec eux, à vivre avec eux. Ils ne veulent pas me quitter, mais au contraire, à cet instant, restant en moi, ils me parlent et semblent me dire : nous sommes accrochés à ta vie, et tu ne te déferas pas de nous comme ça. Oui, ce serait trop facile. Ne plus gerber, ne plus chiasser de ma vie, j'ai peur.

Je me rhabille dans la rue, les formulaires sous le bras et les cachets dans la poche. Je pars en courant, le quartier est désert, j'arrive sur une avenue, le premier taxi sera le bon.

Je fais juste un tour au Temporel, embrasser Rachelle, Tina et Pélagie, parler une heure avec elles, je me sens en sécurité, et descendre la fin de ma bouteille de whisky, faire semblant de me réconcilier avec la vie.

Tina vient me voir. Elle s'installe à ma table et se sert un fond de verre à ma bouteille. Tina ne dit rien, elle me regarde, lit dans mes yeux. Je n'ai pas la force de la repousser. Elle m'emmène dans une chambre dans l'arrière-cour du Temporel, me déshabille, me pousse sous la douche. Je reste une bonne vingtaine de minutes sous le jet, prostré. Tina me sèche, je sens bien qu'elle est excitée, je ne lui oppose aucune résistance, elle me caresse le cou, me touche les seins, elle me passe les mains dans le dos, prend mes fesses, me presse contre son buste, elle m'embrasse la poitrine, le ventre, pose ses lèvres sur ma bite, ouvre la bouche, je bande soudain très fort, je l'attrape et la retourne...

Ce soir, j'ai un mauvais pressentiment, je ne me sens pas très bien. Ma tension me joue des tours, elle baisse, puis augmente, baisse de nouveau, ma sueur est froide, des fourmis me grignotent les extrémités. Une angoisse de plus.

Nous retournons au Treichôtel, conclure le business avec les Nigérians, une bonne fois pour toutes. Je respirerai un peu mieux quand nous serons débarrassés de ces salauds. Et puis cette histoire est un bon coup de pognon, il ne faut pas l'oublier.

Dans le taxi qui nous emmène, René ne dit rien, il donne seulement quelques indications au chauffeur pour éviter les barrages de flics sur la route. Il a entièrement baissé la vitre de sa portière, le vent s'engouffre dans la voiture, je gèle.

– Tu peux pas fermer ta vitre, ça caille derrière, bordel ! lui dis-je, assez mal luné.

René s'exécute, toujours sans mot piper.

– Merci !

Treichville, je ne peux plus voir ce quartier en peinture. Des freaks, des freaks, des freaks, je ne les supporte plus.

D'entrée, les choses vont mal. Marcel nous fait la gueule, je ne sais pas pourquoi. Il nous agresse. Et parle fort dans le hall – ce n'est pas son habitude –, tout le monde l'entend. Il est furieux.

– J'en ai marre de vos conneries, les gars, je ne veux plus vous voir ici, c'est compris ?

Je m'approche du comptoir.

– Mais Marcel...

– T'es sourd ou quoi, c'est la dernière fois que je vois vos sales tronches chez moi, après c'est va-t'en.

René ne réagit pas.

– Et puis, faut donner pognon à moi aussi, ajoute le taulier.

– Mais Saint-Ange...

– Ta gueule, laisse Saint-Ange, me crache-t-il, il ne vaut plus rien.

– Pardon ?

– Saint-Ange c'est de la merde, de la grosse merde, tu comprends ? se fâche vertement Marcel.

Je déteste entendre parler en mal de mon ami, je me retourne vers mon associé, cherchant son soutien et sa voix aimable pour régler le problème avec Marcel, mais il regarde ailleurs. Je ne comprends pas. Serait-ce le souvenir de son aventure avec le travelo qui l'aurait à ce point détruit ? Non, c'est pas possible. Dans un coin, deux filles ricanent. Tout d'un coup, le Treichôtel m'apparaît comme un territoire ennemi.

– Mais merde, René, secoue-toi !

René n'est pas là. Putain, mais qu'est-ce qu'il lui arrive ? C'est pas le moment de tomber dingue René, vraiment pas. Et Marcel qui déjante salement, il doit avoir subi des pressions pour nous traiter comme ça ; enfin, je sais pas, moi.

J'essaie de sauver la situation, d'arranger le coup. On devrait peut-être se casser vite fait, mais c'est trop gros pour être vrai.

– OK Marcel, calme-toi, calme-toi, répété-je un peu tremblant, on finit notre putain de business et on se tire, ça te va ?

– Ouais, c'est ça, je veux plus vous voir ici.

Je lui glisse 30 000 balles, qu'il empoche sans pour autant montrer de meilleures dispositions à notre égard.

– Mais qu'est-ce que tu crois ? Je suis pas une petite saloperie moi, c'est bien plus que vous devez me filer les gars, me grogne-t-il à la gueule.

– Voyons, Marcel, qu'est-ce qui se passe ?

– Il se passe rien, il se passe seulement que je veux plus vous voir faire vos magouilles pourries ici, c'est clair non, c'est moi qui commande ici, t'es chez moi mon gars, faudrait pas l'oublier.

– Mais je l'oublie pas, Marcel.

J'essaie de parlementer, mais apparemment il n'y a rien à faire, Marcel ne démord pas. Il est complètement buté, le vieux.

René s'est écroulé dans un fauteuil du lobby.

– Qu'est-ce qui lui arrive à l'autre ? me demande Marcel en désignant René d'un coup de menton.

– Rien, il est un peu fatigué, c'est tout, ça arrive à tout le monde.

– Tu me prends pour un con ou quoi ? me dit le vieux, en élevant la voix.

Les clients qui entrent dans l'hôtel se retournent sur nous. Je n'aime pas du tout leurs regards intrigués.

– Marcel, je t'en prie, ça suffit, tu veux, parle doucement, cette histoire nous regarde nous et personne d'autre, je commence un peu à me chauffer.

– Si tu fais le méchant, je te fais virer, me prévient-il.

Marcel est en colère, sur ses bras ses tatouages affreux sont vivants et tremblent, ils vont me bouffer. Sur le trottoir d'en face, à travers la porte vitrée de l'hôtel, je vois les vigiles du Treichôtel se remuer et sortir leurs bâtons.

– Ça va, on arrête là, tu veux, lui dis-je, maintenant sur la défensive, je fais mon business vite fait et après tu me vois plus.

– Je te laisse dix minutes : après, dehors !

– Pas de problème Marcel, pas de problème, dix minutes, c'est bon, merci, lui dis-je en entrant dans le bar à reculons.

Hier, on l'entendait pas Marcel, Marcel, notre ami. Aujourd'hui, c'est fini.

Les Nigérians sont assis au bar, seuls les deux hommes sont présents, je ne vois pas leur accompagnatrice, de toute façon René n'est pas en état. Je les salue vite fait.

– Vous avez nos passeports ?

– L'argent d'abord, dis-je sèchement.

– Ah ! pour l'argent justement, mes associés ne sont plus trop d'accord, c'est vraiment trop cher, mon ami, me dit-il dans un sourire.

– Quoi ?

– Oui, il faut rediscuter...

– Pas question, avec nous, on ne discute pas...

Ces enculés profitent de la situation, ils savent bien que nous ne sommes plus en position de force au Treichôtel.

– Et votre associé ? je ne le vois pas...

– Il est dans le hall, il ne se sent pas très bien... L'argent tout de suite...

– On dirait qu'il y a quelque chose qui ne va pas, enchaîne-t-il, sirupeux.

– Tout va très bien. Bon ! on ne va pas y passer la nuit...

– Malheureusement, j'ai bien peur que nous ne puissions pas faire l'affaire aujourd'hui...

– Écoute mon vieux, tu me dois 200 000 francs et tu vas me les donner illico presto.

– Ah oui, et comment ça ?

Il part dans un rire cristallin qui m'énerve. Je l'insulte, en désespoir de cause :

– Putain de vendeur de travelos !

L'injure tombe complètement à plat et ne semble pas du tout atteindre mon interlocuteur. Elle l'étonne même, il reste coi.

– Vendeur de travelos, et alors ? me répond-il.

Puis il se marre franchement.

Rien à faire, je suis coincé. Quand tout merde, tout merde. Je soupçonne le coup monté sans piger comment nous en sommes arrivés là. Petite histoire foireuse de notre histoire foireuse.

– Bon, puisque vous y mettez de la mauvaise volonté, je vous laisse réfléchir, on se reverra, je ne suis pas homme à laisser des dettes. Je ne vous oublierai pas les gars, dis-je en conclusion, le visage suffisamment déformé par un rictus mauvais et l'œil noir.

– Garde tes menaces pour toi, petit con, et tire-toi, me crache le Nigérian, changeant soudain de ton.

Son collègue ne pige pas un traître mot de la conversation, mais il comprend bien sûr l'objet de l'engueulade, il est solidaire de son collègue, l'expression de son visage devient méprisante.

Vert de rage, je vais pour me retourner et leur balancer

mon poing dans la gueule, heureusement par je ne sais quel instinct, je me retiens. Je le pointe du doigt, atrocement violet de fureur :

– Toi, te refous jamais devant moi !

Mais je ne peux rien faire, sinon m'incliner dans ma défaite.

Dans le lobby, sans même jeter un coup d'œil à Marcel, j'embarque René par le bras. Nous ne mettrons plus les pieds au Treichôtel et nous venons de nous faire arnaquer de 200 000 balles. Terrible soirée. Mais je n'en veux pas à Marcel, je n'arrive pas à croire qu'il ait lui-même initié ce bordel. Dans la rue, je déchire la dizaine de passeports nigérians que j'ai sur moi – ils ne me serviront plus – et jette les morceaux, en les éparpillant, sur la chaussée.

De retour à « New York », je laisse René sur le canapé, l'appartement me paraît vide et abandonné, je ne supporterais pas de rester ici, je prends mon sac dans lequel je fourre quelques affaires, deux boulettes d'herbe, des cigarettes, et je m'en vais. Aïssa s'occupera de René demain matin.

Tchétché est la seule personne avec laquelle je peux encore être tranquille, en paix. Je débarque dans son studio. Elle va commencer à en avoir marre de me voir arriver chez elle quand je ne me sens pas bien. Mais Tchétché la Merveilleuse m'accueille bien. Il est tard, mais elle est encore en train de travailler sur un modèle, appliquée et sérieuse sur son ouvrage. Elle me voit bouleversé.

– Qu'est-ce qui se passe ? Amidou, tu es tout blême. Quelque chose ne va pas ? un problème ?

– On vient de merder un business, et René est malade.

– Où est-il ? me demande-t-elle.

– À la maison.

– Tu veux qu'on aille ensemble à « New York » voir ce qu'on peut faire ? me propose-t-elle sur-le-champ.

– Non laisse tomber. Aïssa sera là demain, elle assure.

– Tu vas laisser la petite toute seule avec René ?

– Ouais, il va se remettre, t'inquiète pas...

– Tu es sûr ?

– Sûr. Je peux dormir chez toi ?

– Bien sûr, mais demain très tôt je dois partir à Gagnoa voir Bineta et apporter de l'argent à ma tante.

Je saute sur l'occasion.

– Je peux t'accompagner ? Je resterai trois ou quatre jours, ça me fera du bien.

– Oui, sans problème, Bineta sera ravie de te voir, elle t'aime beaucoup tu sais...

– Merci Tchétché.

– Tu es bien sûr que ça va ? Amidou, tu ne me caches rien ?

– Je n'ai pas l'habitude de te mentir, tu le sais bien.

Tchétché n'a pas l'air si convaincue que ça. Je lui explique tout, parler me fait du bien.

– Je ne te prends pas la tête ? lui demandé-je.

– Mais non, voyons, vas-y, dis-moi...

– René a une crise, c'est tout, ça lui est arrivé comme ça, en plein milieu de la soirée, je ne comprends rien du tout, ajouté-je, passant sous silence l'épisode du travelo.

– Ce n'est pas la première fois qu'une telle chose lui arrive, me dit Tchétché.

– Et en plus, on est grillé au Treichôtel, dis-je sans relever sa remarque, Marcel déconne, il ne veut plus nous voir chez lui, et ça aussi, je comprends pas...

– Tu veux toujours tout comprendre, c'est impossible, surtout avec ce que tu fais... me raisonne Tchétché.

191

Je continue de parler, je monologue.

– Enfin, pour couronner le tout, les Nigérians n'ont pas voulu payer ce qu'ils me devaient, la complète quoi, le bordel total. Ça me dépasse. J'ai besoin de me remettre les idées en place, tu vois.

– Merde, me dit simplement Tchétché.

– Oui, merde, tu peux le dire.

– Si je peux te donner un conseil, va te coucher, une bonne nuit de sommeil, ça ira mieux demain. Je finis mon petit truc et je te rejoins, me dit-elle.

Je me débarrasse de mon boubou, et je vais m'allonger sur son lit. Tchétché travaille encore un peu, puis je l'entends se laver et je la sens se glisser à côté de moi. Alors, je m'endors.

Il pleut ce matin. Les gouttes sont épaisses, elles pèsent des tonnes sur le pavé. L'atmosphère est noire et blanche, il fait excessivement chaud. Toutes les cinq minutes, je m'éponge le front, et je coule constamment des aisselles, un véritable sauna. Par-dessus tout, l'humidité sauvage de ce pays est mon ennemie.

Nous avons attendu pendant trois heures à la gare d'Adjamé, le temps que notre car soit plein. Protégés sous un auvent, nous avons pris sagement notre mal en patience, il n'y a pas d'horaires ici, impossible d'avoir un quelconque renseignement sur un supposé départ latent. Nous n'essayons d'ailleurs même pas d'obtenir des précisions sur notre voyage. On vient tôt à la gare routière, on en part tard. Le pays bété n'est pas une direction très courue, un voyage de 250 kilomètres qui nous prendra toute la journée. Je fume une cigarette, je bois une bière, je grignote un bout de pain, Tchétché fait des emplettes, elle achète des crèmes de beauté à une petite Dioula, marchande les prix avec abnégation. Tchétché voyage, elle est chargée de quatre gros sacs remplis de fringues et d'habits, de tissus brodés, de pagnes, le tout pour sa fille et sa famille. Elle échangera toutes ses richesses contre des denrées alimentaires, des bananes, de l'atiéké, du riz, des fruits.

Nous quittons enfin Abidjan. Il pleut toujours. Tchétché scrute le ciel. Nous en avons pour toute la semaine, commente-t-elle.

Notre car prend l'autoroute vers Yamoussoukro, la capitale officielle du pays, où nous nous arrêterons pour une pause d'une heure, si ce n'est plus, selon le bon vouloir de notre chauffeur. Dans le panorama, la basilique du président émerge comme une vision, c'est une exacte réplique de Saint-Pierre de Rome, en plus petit pour ne pas vexer le pape, qui – après s'être bien fait prier, c'est le cas de le dire – l'a consacrée. Une mosquée lui fait face, ses minarets brisent les nuages bas qui bouchent le ciel. Le face-à-face de la basilique et de la mosquée symbolise la diversité religieuse en Côte-d'Ivoire, où musulmans et chrétiens se partagent – non sans tiraillements – équitablement le pouvoir, pourvu que ça dure. Un lac artificiel sépare les deux lieux de culte, des nénuphars par milliers décorent le plan d'eau et des crocodiles sacrés languissent et paressent sur ses berges, profitant de la pluie. On se croirait dans un décor de science-fiction, à Cinecittà, sur un plateau de cinéma. La basilique est vide, seuls quelques employés sont occupés à laver le sol sans se presser. Vers 2 heures de l'après-midi, plus un bruit. Personne. Les vitraux sont kitsch comme une bande dessinée.

Nous mangeons un morceau dans un maquis pour routiers. J'ai toujours des idées noires, Tchétché ne me parle pas, elle me tient la main, et me laisse à mes pensées. Je sais qu'elle est contente de retrouver sa famille, et surtout sa fille qui l'attend. Pour elle, c'est ça qui est important.

Vers 7 heures du soir, nous sommes à Gagnoa. Tchétché est tout excitée, ce qui m'aide à refaire surface.

Les retrouvailles d'une mère et d'une fille, leurs embrassades, leurs cris, leurs pleurs, leur joie... au-delà de tout ce que je peux décrire. Bineta a grandi, c'est fou, c'est une jeune fille maintenant, elle se tient et parle comme une grande. Tchétché vient à Gagnoa tous les deux ou trois mois, les enfants poussent vite à cet âge-là.

Bineta ressemble à sa mère, elle est menue – toute fine en vérité –, très mignonne, elle a le sourire radieux de Tchétché, la même bouche. Sa petite coiffure de nattes sages, sa petite robe de basin lui vont à merveille. Son regard est intelligent et vif, elle est bien la fille de sa mère, elle a des yeux immenses et des cils d'une longueur déjà affolante. Bineta est bien élevée, la femme qui est en elle sera d'une grande beauté, extérieure et intérieure. Je me tiens à l'écart, je regarde la mère et la fille, un peu gêné et timide, puis Bineta vient m'embrasser avec déférence, elle me gratifie d'un « tonton » qui toujours me fait sourire. Je lui demande de ses nouvelles en bété, la petite rigole à mon accent, ravie d'entendre sa langue dans ma bouche.

Nous visitons toute la famille, je souris à tout le monde, je ne veux pas gâcher le bonheur de Tchétché. Sa vieille tante, ses oncles – sa mère est morte il y a deux ans –, ses innombrables cousines et cousins... Les tenues de fête sont sorties, toutes les sauces sont préparées, il faut manger. Je me force.

Je prends une mule, je vais me promener dans la savane, le décor est sublime, infini et l'horizon est lointain. J'imagine les grands fauves tapis dans la brousse, les antilopes fragiles qui sont leurs proies, un troupeau d'éléphants comme une apparition, un mirage, un rêve d'enfant... mais la pluie incessante écourte ma balade. Je chope la crève, je tousse, mes muqueuses piquent. La grippe tropicale, la pire, elle peut me tenir un mois entier.

Le soir, nous sommes seuls tous les deux dans la petite maison que Tchétché se fait construire à la sortie du village sur la route de Soubré, deux chambres sont déjà habitables, nous discutons.

— Tu vois, me dit Tchétché, quand tout pétera dans la capitale, je viendrai au village, chez moi, me reposer. Elle sera super ma maison, qu'est-ce que tu en penses ? me demande-t-elle enthousiaste.

— Magnifique, Tchétché, magnifique, à ton image.

— Toi, tu partiras, n'est-ce pas ?

— Oui, lui réponds-je simplement.

— Dommage. Tu seras toujours le bienvenu ici.

— Merci Tchétché, merci, encore une fois, mais je n'ai pas le choix.

— Tu crois ?

— Ton village est un beau village, mais ce n'est pas le mien. C'est tout.

— Je suis née ici, je mourrai ici, affirme-t-elle, péremptoire.

— Tchétché, je t'en prie...

— Toi, où iras-tu ? me dit-elle, un peu sèche.

— Je n'irai pas mourir en tout cas.

195

J'arrive à lui arracher une sorte de sourire. Je reprends :
– J'ignore totalement aujourd'hui où je me casserai demain, j'aviserai le moment venu.
– Je te fais confiance.
– Je sais.
– Moi, je n'ai rien à faire ailleurs, se défend Tchétché.
Décidément, Tchétché veut me contrarier, elle me cherche.
– Je ne t'ai jamais demandé de venir avec moi.
Pitié, pensé-je, que cesse ce dialogue ! Nous sommes au bord de l'engueulade, je ne veux pas me prendre la tête avec Tchétché, chez elle, ni lui faire de la peine, mais je ne peux pas non plus lui raconter de conneries. Tchétché pourrait me planter là, me larguer ce serait normal, peut-être que ça me secouerait.
Les trois frères de Tchétché habitent Londres depuis plus de dix ans. Je ne les connais pas, ils ne reviennent jamais au pays, et Tchétché ne les connaît plus.
– Mais qui es-tu ? me demande soudain Tchétché.
Sa question me surprend et me met mal à l'aise. C'est une vraie question.
– Je ne sais pas, dis-je en bredouillant.
– ...
– Un survivant peut-être – j'essaie de rire de ma réponse –, oui un survivant sûrement.
– Tu me manqueras tu sais, tu me manqueras beaucoup, me dit Tchétché, presque en larmes.
Elle va craquer, je la prends dans mes bras, Tchétché m'accepte.
– Toi aussi, tu me manqueras, tu peux pas savoir comme tu me manqueras.
Je suis sincère, croyez-moi. Je l'embrasse sur la joue,

196

à pleines lèvres. Je sens Tchétché trembler, mais elle se contient.

– Tu ne veux pas un enfant de moi ? Un fils ? Une fille ? Des jumeaux ?

Tchétché sait être pleine d'humour et sérieuse, profonde, et rire, déroutante, rassurante.

– Tchétché, s'il te plaît, ne me provoque pas.

J'ai du mal à être léger comme elle, je reste au premier degré.

– Tu réfléchis trop Amidou, ça finira par te perdre.

– On ne réfléchit jamais assez, Tchétché, tu sais.

Cette discussion n'a pas de fin, elle n'en aura que quand la misère nous plombera, alors je saisis maintenant Tchétché par les épaules, je l'allonge, la couvre de baisers et la caresse. La sensualité vient submerger la tendresse. Tchétché se laisse aller, et pourtant... et pourtant, pouvons-nous nous aimer vraiment à ce moment-là ? Nous sommes loin l'un de l'autre mais nous faisons l'amour, doucement, gentiment. Je sais que, dans ma tête, ça ne va pas. Je sais trop de choses et je ne sais rien. Partir, revenir, aimer, voyager, travailler... Je n'ai pas de solutions à mon angoisse. Ma vie vaut-elle la peine d'être vécue ? je peux en douter. Il fait très chaud, nos corps sont en fusion, j'implose...

Je quitte Gagnoa au bout de quatre jours, il pleut, il pleut, il pleut, et quand je fais mes adieux à Tchétché, j'ai des intuitions atroces. Ne sachant quoi lui dire, je lui demande, inquiet :

– On se voit à Abidjan ?

– Je t'aime... reviens... me souffle Tchétché à l'oreille.

– Oui...

Je n'entends pas ma voix, je regarde le ciel, Dieu me pisse toujours dessus.

Ça y est ! putain, terrible malheur ! Moi qui croyais le connaître, mon partenaire, mon ami, René Mwanga le Congolais, moi qui pensais même le suivre et le comprendre dans ses délires, les partager dans le whisky et la bière, la défonce et le travail aussi. Et nous ne nous quittions pratiquement que pour dormir ou faire l'amour aux femmes... J'aurais dû m'en douter, bordel ! qu'est-ce que je suis con !

Voilà, j'ai découvert le pot aux roses, des roses plantées dans de la chiasse de drogué. Oui, c'est ça la vérité, René est drogué, toxicomaniaque, archidépendant ! Et je ne m'en suis pas aperçu ! C'est dingue ! Je vis pourtant moi aussi dans la drogue, mais c'est comme si ma drogue, mon herbe, m'isolait des autres drogues. René drogué, je comprends maintenant le pourquoi, en grande partie du moins, de ses sautes d'humeur, de ses hauts et de ses bas, de ses crises. Et moi qui les mettais sur le compte unique du choc de sa personnalité avec l'ambiance générale. Non mais je rêvais, ou quoi ?

De retour de Gagnoa, je reviens à « New York », le salon est vide de vie, j'entre dans la chambre de René, chose qui ne m'était pas arrivée depuis longtemps, et quelle est ma surprise, non de le trouver écroulé sur son matelas, c'est son habitude, mais de voir sur sa table tout un amas de boîtes de médicaments éventrées, toutes entamées, et puis des petites cuillères noircies à la flamme du réchaud, pour dissoudre certains produits et faire des mélanges je pense, des bouteilles de sirop Néocodion, quelques verres sales, et dans l'un de l'eau sombre et croupie. René est accro aux médicaments. Voilà qui explique sa paranoïa grandissante, ses accès de fureur ou de mélancolie, ses absences totales comme celle de l'autre soir au Treichôtel. J'étais affolé. Me voyant faire irruption chez lui, René s'est relevé à moitié dans son lit, il est sorti à moitié de sa torpeur et a tout avoué sans difficulté. Oh ! j'avais bien remarqué qu'il prenait parfois des cachets pour dormir ou se réveiller, qu'il se dosait de quinine prétextant de la fièvre. J'ai même dû lui faire une remarque là-dessus. Je me souviens de l'avoir vanné sur le sujet, de lui avoir même conseillé de prendre quelques tranquillisants ; quand j'y repense ça me fait froid dans le dos. Mais je ne pouvais pas imaginer que ça deviendrait une habitude, et avec de telles proportions.

Dans l'intimité de sa chambre, René vit l'enfer et les jouissances de la défonce. J'ai voulu tout jeter, mais il m'a retenu en me suppliant.

– Et Brigitte est au courant ? lui demandé-je, à cran.

– Un peu...

– Un peu, ça veut dire quoi ? ? ?

J'étais perdu, paniqué. Comme un père qui découvre que son fils est homosexuel et se pique à l'héroïne. René n'est pas mon fils pourtant, non, mais il est un fil très important pour me rattacher à la vie. Nous partageons tant de choses ! Je le savais un peu dérangé, mais après tout c'était aussi son charme, je me rends compte aujourd'hui que René est très malade. Bien plus malade que je ne le pensais.

– Qu'est-ce que tu vas faire ?

Je sais que ma question n'a pas de sens.

– Rien, je ne vais rien faire, seulement l'effort de diminuer ma consommation, me dit René sans aucune motivation, la voix traînante et à peine audible, pour me faire plaisir.

Il ne veut pas parler de ça, je le sens. Il veut que je lui foute la paix, que je m'occupe de mes oignons. C'est normal.

J'ai soudain peur de comprendre que René a enfin trouvé un bon moyen de finir en beauté. Le seul moyen de fuir la réalité, les médicaments, neuroleptiques, anxiolytiques, et dérivés mutants. Avec ce qu'il s'envoie, il peut planer pour l'éternité, René.

Je m'emporte :

– Et moi aussi je me balance un shoot pourri, deux par mois, un par semaine, je pourrais forcer la dose, qu'est-ce que tu en penses ? C'est pas une bonne idée ça ?

Je suis cynique et grinçant – « C'est bon, tu sais » –, je provoque René, je sens un rictus de méchanceté sur mon visage, toujours cette même grimace qui me colle à la peau ces derniers temps, je m'approche de lui jusqu'à pratiquement toucher son visage avec mes lèvres, René prend mes postillons dans la figure sans broncher.

– C'est excellent tu sais, je m'amuse, je pique du nez en douceur, je gerbe sans douleur, ça vient comme ça, amoureusement, tout seul, c'est facile...

– Ce n'est pas la même chose, se défend mollement René.

Je ne l'écoute pas.

– Mais moi, mon gars, je veux encore vivre, ça peut servir, tout ce que je viens de te dire, je ne le fais pas, je fais gaffe...

– Je ne veux pas te dire « pas encore », Amidou, rétorque René fiévreux, avec un air de défi.

Nous nous engueulons. René commence à trembler. J'allais lui envoyer mon poing dans la figure. Mais je me calme. Je ne peux pas taper mon pote quand même, je ne peux taper personne, mais, décidément, que d'agressivité ces jours derniers !

Putain, merde ! c'est vrai, des médicaments, on en trouve partout ici. Ils sont vendus à Treichville, toujours et encore Treichville, par les petites filles dans la rue, elles bercent leur marchandise en équilibre sur le mouchoir de tête. Ces comptoirs ambulants sont bien achalandés, et je me souviens maintenant m'en être déjà fait proposer de ces saloperies.

La voix pâteuse, René me raconte tout.

– Si je suis « malade », tu pourras aller m'en chercher, me dit-il, railleur.

– Cause, si tu en es encore capable, je t'écoute, lui dis-je.

– À l'angle de la rue 15 et du boulevard de Marseille, devant le ciné kung-fu, tu trouves du buvard de synthèse...

Je l'interromps :

– Tu prends aussi de cette merde !

Mais René continue, sourd à mes remarques.

– On dirait des petits autocollants, avec de jolis dessins psychédéliques, tu devrais aimer ça. Ils font décoller devant Bruce et Jacky. On les met sur la langue et ils fondent sous la salive par enchantement.

– C'est ça qui te rend schizophrène et paranoïaque par extension...

– À l'Arras, derrière la Cabane Bambou, tu peux choper plusieurs sortes de comprimés. L'Immunoctal ou IM 10, on l'appelle Sékou Touré parce qu'il fait beaucoup parler et raconter n'importe quoi. Le Djalan, lui, rend chaud. Moi, j'en prends pas. Le djalanman n'a plus de jus, ni sueur, ni pisse, ni larmes. Mélangé à de l'alcool, le Djalan fait dormir. Je continue ? me demande René. Sa voix est de plus en plus faible.

– Vas-y.

– Avenue 8, je connais une petite, elle est tchadienne, une réfugiée abandonnée par sa communauté et trop jeune encore pour le tapin, elle vend du Mandrax, quatre au carré, et du Blue-Blue en gélules plus efficaces que les suppositoires qui ne font de l'effet que dix par dix, tu imagines le mal de cul. Sinon, à la pharmacie de la mosquée, j'ai du Rohypnol et du Somutal. Tu es content ?

C'est dingue. Je regarde René avec les yeux du plus profond bouleversement. Comment va-t-il se sortir de cette merde ? C'est la drogue du temps, de l'époque.

Demain, je suis certain que ce danger chimique va gagner la brousse. Les marabouts, toujours friands de bonnes affaires, prépareront des mixtures à base d'amphétamines cuites aux herbes traditionnelles. Les villageois y reviendront d'autant plus vite qu'ils assimileront leur plaisir et leur soulagement à un miracle sorcier.

René s'endort maintenant à moitié, la bouche ouverte, ses bras pendent, ses mains sont molles, une petite bave coule aux coins de ses lèvres.

Le monde s'effondre, René.

Le monde s'effondre. Et Abidjan, la Côte-d'Ivoire, c'est le monde. Notre monde. Le monde d'un peu tout le monde. Le monde s'effondre.

*

Je suis passé au Blue Note tôt dans la soirée, vers 22 heures. La porte menant au petit escalier qui descend dans la boîte est grande ouverte mais je ne vois personne. Les plantes vertes piquent du nez, deux projecteurs cassés gisent dans un coin, avec un balai et une pelle. C'est étrange un night-club au repos, sans musique et sans animation, c'est inquiétant. Seules les ampoules de service sont allumées, et la lumière qu'elles diffusent est froide comme celle d'une salle de bains ou d'une cuisine. Le sol de la piste de danse est encore humide du ménage, les fauteuils sur les tables, les bouteilles et les verres absents du bar.

– Saint-Ange ! Saint-Ange !

Pas de réponse à mon appel.

– Saint-Ange ! Saint-Ange ! Tu es là ?

Toujours rien.

– Il y a quelqu'un ? dis-je en criant de nouveau.

Je suis seul avec moi-même et mon image multipliée dans les miroirs déformants qui bordent la piste.

Enfin, je vois Saint-Ange, il sort des chiottes, livide et tout suant, visiblement malade. Il tient à peine sur ses jambes.

– Amidou c'est toi, akwaba, me dit-il difficilement.

– Saint-Ange, ça va ?

– Putain, j'ai les boyaux en compote, grogne-t-il, mes parasites intestinaux se sont réveillés ce matin, c'est tout

Barbès qui se trimbale là-dedans, essaye-t-il de plaisanter, des saloperies me rongent les intestins.

– On peut discuter un moment ?

– Bien sûr, bien sûr, me répond-il installant deux sièges autour d'une table, scotch ?

– À fond.

Saint-Ange va chercher le whisky, deux verres et nous sert largement.

– Glaçons ?

– Non, sec, lui dis-je avant d'avaler mon breuvage.

Saint-Ange boit son alcool à petites gorgées, cela ne lui ressemble pas.

– Amidou ? quelque chose qui ne va pas ?

Saint-Ange a la gueule crispée, il se tient le ventre, apparemment il souffre. Il se tâte toutes les poches à la recherche de ses Saint-Moritz, je lui balance mes cigarettes. Il allume une Marlboro et la grille en trois bouffées.

– Je peux te parler... Si tu préfères je reviens demain, quand tes tripes seront remises en place, lui dis-je.

– Non, vas-y, j'encaisse, m'assure-t-il tirant sur ses lèvres pour un sourire qui est une véritable grimace.

– Marcel nous a jetés du Treichôtel, et salement encore, commencé-je, et puis des gros clients, des Nigérians, nous ont plus ou moins arnaqués, c'est la première fois que ça nous arrive.

– Ouais, je m'en doutais, lâche Saint-Ange, j'aurais dû vous prévenir d'une embrouille possible.

– Mais qu'est-ce qui se passe, bordel ?

– Rien, rien, une vieille histoire de putes et de pognon.

« Une histoire de putes et de pognon », c'est l'expression que l'on emploie quand on veut couper court à toute demande d'explication. Je ne dois pas insister.

– Au fait, Saint-Ange, nos clients, les Nigérians dont je te parlais, ne vendaient pas des putes mais des travelos...

– Et alors ? me dit Saint-Ange, sincèrement surpris par ma remarque.

J'hésite. Oui, et alors ? Un peu à cran, je le questionne :

– Et maintenant, qu'est-ce qu'on fait ?

– Écoute, Amidou, je vais te parler franchement, le business ces derniers temps, c'est pas le top, j'ai plein de trucs à assurer, y'a des mecs qui me font chier, je ne peux pas t'en dire plus.

Je n'ai plus affaire au Saint-Ange facile et tranquille que je connais depuis quelques années, non, quelque chose le préoccupe, et ce n'est pas seulement son estomac. Mais quoi ? La magouille répond à des lois souterraines, et nous les trafiqueurs ne sommes que des exécutants, sages, silencieux, obéissants. La vie part à vau-l'eau, tout est possible, et tout peut changer du jour au lendemain. Je me doute bien que Saint-Ange brasse de l'argent et des affaires, trop sûrement. Et ses amis ? Amis aujourd'hui, ennemis demain.

Je regarde Saint-Ange en prise avec sa fièvre et ses problèmes, son désarroi ne me dit rien de bon.

– Bon Amidou, tout ce que je peux te dire c'est de vous tenir à carreau, oubliez un peu le Blue, occupez-vous seulement de vos petits clients...

Je le coupe :

– Ils sont nombreux tu sais.

– Ouais, ouais, mais ceux-là ne vous feront pas de galères... Bossez à « New York » et dans la rue, mettez un bémol sur le reste.

– On continue alors ?

– Comme vous voulez les gars... L'ambiance dans la ville ça craint, voilà, si ça peut t'éclairer.

Saint-Ange tout vert, je n'aime pas ça.

– Je vous tiendrai au courant, me dit-il en guise de conclusion.

Saint-Ange se lève de son fauteuil, il est vraiment très mal, pratiquement plié en deux.

– Excuse-moi, ajoute-t-il en se précipitant aux chiottes, gerber et chiasser un bon coup. Toute sa bile pour boucher le trou.

Je reste trente secondes dans le Blue Note désert, la tête vide, puis je m'en vais.

Abidjan, bordel, me dis-je intérieurement, pensant également à René, tu nous rends tous malades à en crever.

Suivant ces événements d'ordre professionnel et privé, pendant quelques semaines, et contrairement à ce que l'on pouvait supposer, Abidjan reste calme. Pas de mouvements dans la rue, à peine quelques marches sans conviction, aucun accès marquant de violence ou de joie, pas de fêtes et pas d'émeutes. Cette ville, habituellement agitée de soubresauts continuels et convulsifs, paraît endormie, désertée, à l'image de ses autoroutes fantômes sur lesquelles pratiquement plus aucune voiture ne roule maintenant, plus encore en raison de l'insécurité ambiante que de la cherté de l'essence. Quand je prends mon taxi la nuit, je suis seul sur le freeway, c'est une sensation étrange, proche de l'hallucination, serais-je absolument seul au monde ? Alors, je suis toujours pressé de prendre la première bretelle pour rejoindre les ruelles ou le quartier.

Mais peut-être la ville est-elle restée la même depuis trois ans, c'est mon esprit qui, lui, a évolué, à moins qu'il ne soit revenu en arrière, à son point de départ, il tourne et se retourne dans un sommeil désagréable, où le cauchemar est latent. Abidjan n'a pas changé, je le sais, mais moi, ma déprime s'est approfondie, monumentalisée. J'ai toujours mes cheveux et mes dents, est-ce suffisant ?

Je suis un trafiqueur coupable, Amidou Diallo – j'étais footballeur, j'étais vendeur de bananes ! Je suis dépassé par l'actualité, les contradictions de mon environnement. Mon intelligence me fixe sans doute des limites. Je ne peux penser plus fort et plus loin, ma réflexion et mon assimilation à la vie s'arrêtent là. Aujourd'hui. Mon intellect abîmé, noyé, enfumé, me barre l'accès de toutes les réponses à mes questions. Et demain, ce ne sont que tonnerres et tourbillons dans lesquels je divague, porté, emporté, et plane. Mais ne planais-je pas depuis le début ?

Je suis bien calé sur les chiottes, le cul au frais, je chie, et lis le journal vaguement, j'ai mal aux yeux, des pouces je me frotte les paupières. Ma merde est dure comme mon cœur et mon cerveau est constipé.

Je devrais prendre une décision pour ma vie, j'en suis incapable, comme je suis incapable de savoir s'il ne me faut pas plutôt jeter que prendre. Je suis trafiqueur par opportunité grâce à Saint-Ange, j'étais commerçant et sportif par choix, par rêve. J'ai aimé certaines femmes par hasard, d'autres par pur intérêt ou pure jouissance. J'ai vécu ici, et là... Mes paroles, mes pensées, mon texte, l'histoire de ma vie, n'ont plus de sens. Je me regarde dans la glace. Je ne me ressemble plus. Et à quoi ressemblais-je avant ? Avant quoi ? Je n'ai pas de projet devant moi.

René ne m'aide pas beaucoup dans mes tourments. Ils sont pourtant aussi un peu les siens. Mais René s'enferme dans lui-même, comme une tortue, encore une fois, isolée, abandonnée par ses compères, métamorphosée en pierre pour se soustraire du monde. Au-delà du boulot, où sa méthode toute en douceur l'économise, René est apathique, nos conversations sont plus rares. « New York » est pâle. Il m'arrive de ne plus supporter mon associé. J'ai de plus en plus envie de le cogner et de le secouer. L'état de René renforce chez moi ce sentiment de blocage total.

Je souhaite une révolution et je ne suis pas prêt à la faire, je souhaite une révolution et je la détesterais. Je fume joints sur joints. Jamais autant de questions débiles ne se sont bousculées dans ma tête.

Maintenant que je suis au courant de sa toxicomanie, René ne se cache plus. Il a investi la cuisine et installé son matériel sur la desserte, il prépare ses drogues sur la table à manger. Aïssa regarde tout ça avec un air bizarre. Notre déprime touche la petite, je ne la trouve pas très en forme. À « New York », nous vaquons à nos occupations comme des robots, chaque geste, chaque comportement, tout est machinal, vidé de vie.

Dormir, manger, pisser et chier, la vie de René est rythmée de noms chimiques. Il invente de nouvelles solutions pharmaceutiques, toujours plus efficaces pour son cerveau malade. Vraisemblablement, il augmente les doses, et complique ses recettes. Quand il est en manque d'un produit important, il tombe dans un tel état physique que je dois l'accompagner à la pharmacie de Treichville et dans ses courses au petit marché de l'avenue 16, où, à coup sûr, il trouve tous les ingrédients dont il a besoin.

Depuis le jour où j'ai trouvé sa chambre transformée en petit laboratoire de la merde, je n'ai plus jamais rien reproché à René, non, décidément je ne suis pas son père. René bosse bien. Après tout, me dis-je, au point où nous en sommes, c'est l'essentiel. De toute façon, je ne nous donne plus longtemps à vivre, comme ça. Trafiqueur à « New York », pour moi le compte à rebours a commencé avec cette sale histoire de médicaments, avec la défaite de René. Elle est aussi la mienne. J'ai ouvert les yeux. « Enfin ! » pourrait-on dire. Le top de départ a été donné, l'élastique est pété. Alors, course de fond, ou de vitesse ? sprint ou endurance ? Il n'y a pas de record au bout de notre chemin.

René a encore maigri, il n'était déjà pas bien gros, il s'est laissé pousser une grosse barbe qui lui mange le visage jusqu'aux yeux. Il se promène à « New York » en tricot de corps ajouré. Sa barbe et sa tenue renforcent son apparence de zombie. Ses côtes flottent sous sa peau, ses genoux ballottent, même ses sandales sont trop grandes, René a rétréci.

Je n'ai pas vu Brigitte ces derniers temps à la maison. Je crains une rupture, temporaire, définitive ? Ce n'est pas mon problème. Nous avons suffisamment de cartes de Sécurité sociale en réserve.

Quant à Tchétché, elle est toujours en visite chez sa tante à Gagnoa, là-bas en pays bété. Tchétché passe du temps avec Bineta, elle est sûrement heureuse – je le souhaite sincèrement – et Bineta doit être aux anges. Je vous embrasse les filles. Tchétché rentrera à Abidjan le mois prochain. La verrai-je avec les mêmes yeux après tout ce qui s'est passé ? Encore et toujours ces putains de questions sans réponse. Tchétché ne me manque pas, non, bien que je pense à elle de temps en temps. Elle doit me manquer en fait. Certaines nuits, son petit cul m'obsède. Pour autant, mon appétit sexuel est faible, et je préfère rester seul dans ma dépression.

Nous sommes donc deux vieux célibataires, René et moi. Deux paquets de chair névrotiques.

Nous buvons pas mal. Et même beaucoup. René ne quitte pour ainsi dire plus sa bouteille de bière. Nous résistons difficilement à l'alcool. Et si j'essayais de passer trois jours sans boire, pour voir ? Je crois que nous sommes en train de devenir de véritables ivrognes, nous en aurons bientôt les trognes. Je fume de l'herbe. Un détail dans ma vie. Qui ne changera jamais.

Faut-il penser à se réorganiser, puisque nous n'avons plus accès au Treichôtel ? trouver un autre endroit bien pour les gros deals ? complètement laisser tomber les business d'envergure ? Saint-Ange, où en es-tu ? Aucune nouvelle de lui.

Avec René, d'un commun accord, nous avons essayé de réduire nos activités, mais c'est peine perdue, assiégés que nous sommes par des clients toujours plus nombreux. S'il est vrai que notre savoir-faire nous permet une certaine routine, le travail n'en est pas moins là. Nous remplissons des charters pour Paris (Roissy-Charles-de-Gaulle et Orly-Sud), Londres, Rome... Comme d'habitude.

Dans le doute de tout, nous avons encore insisté auprès d'el-Zayed pour convertir encore plus de nos CFA en dollars. Nous n'avons obtenu qu'une modeste rallonge. El-Zayed s'est même un peu énervé contre nous, il est devenu tout rouge sous notre pression, mais n'a pas cédé d'un pouce. Notre démarche s'est soldée pratiquement par une fin de non-recevoir.

Le soir de cet échec, je suis dans tous mes états, les histoires de fric me montent à la tête, je sors de moi, jette par poignées des CFA crasseux à travers le salon :

– Tu vois René tout ce fric, c'est du faux argent ; une fois entre nos mains il nous glisse des doigts, disparaît aussi sec en liquides et fumées, en fesses grosses et rondes, en chattes profondes où je me perds, le nez puis tout le visage, jusqu'à m'y incruster totalement. Et toute cette thune à la banque, fausse fortune !

Écoute-moi René, c'est à toi que je m'adresse, oui, fausse fortune qui nous laissera un jour clochards sur le trottoir, ici ou ailleurs, la gueule éclatée, vautrés dans le caniveau, les bras en croix, le cou tordu, la peau couverte de boutons et de plaques, de croûtes, de maladies, amaigris encore plus qu'aujourd'hui, l'haleine fétide, pâles comme la mort déjà, chauves, les yeux creux, les dents noires, le crâne tonsuré à la lame rouillée. Alors, nous pourrirons dans notre propre gerbe. C'est beau. Quelle vie aura été la nôtre ? Hein, René ? Je te pose la question. Au mieux nous resterons comme des exemples pour quelque poète punk et décadent. Et encore, j'en doute fort. Et au pire, comme deux grains de saloperie dans le monde de la merde !

Faux monde, faux pays, fausse ville, fausses illusions auxquelles nous faisons à peine semblant de croire, faux noms, fausse histoire, faux papiers, fausses certitudes. Vrais démons qui nous entourent et nous cernent de partout. Combat perdu d'avance. Combat que nous ne livrons pas.

René ne me répond pas. A-t-il seulement écouté ? Je ne sais pas. J'ai parlé tout seul, tout haut. Écroulé sur le canapé, René baisse doucement la tête, poussée par son bras frêle sa main tremblote vers une boîte de médicaments, il avale une poignée de cachets, se renverse en arrière, ses yeux deviennent blancs et brillants. Bon voyage, René ! À toi aussi.

Peu après, une crise de paludisme me terrasse. Je perds trois kilos en deux nuits de fièvre. Je me fais une autoperfusion. Toujours, dans mes crises, j'ai l'impression de mourir. Le ciel devient noir. Je ne reconnais plus personne. La langue me brûle. Je n'arrive pratiquement plus à pisser, mes reins se bloquent. Je bois du Coca-Cola tiède, seule nourriture admise par mon estomac bouillant. Je me bourre de Nivaquine et d'Alphan. Je m'abîme le foie et les yeux. Puis ma fièvre passe. Comme par miracle – une guérison me semble toujours relever du miracle –, je retrouve ma température normale, la sensation de mes jambes, de mes bras, de mon ventre. Jusqu'à la prochaine fois.

Sortant des fièvres, mon corps a besoin de vivre au ralenti. Je prendrais bien des vacances pour ma convalescence, mais pas question, le boulot déborde de partout, il faut abattre.

*

J'en suis toujours à me demander ce que je dois faire quand un matin...
– On attaque l'ambassade de France ! On attaque l'ambassade de France !
La rumeur se répand comme une traînée de poudre, immédiatement tout Abidjan est au courant.
Un arrêt intransigeant et maladroit d'un conseil économique mondial et il en résulte, du jour au lendemain, une hausse terrible des prix. Le riz devient rare, le lait

hors de prix, la bière prohibitive, on ne trouve plus ni poulets ni alokos. C'est l'explosion, le ras-le-bol, le peuple se jette dans la rue. Les gens veulent d'abord châtier les coupables de ce nouveau malheur. Les Ivoiriens accusent la France. Bousiller du Français, voilà la vérité.

Surexcité de curiosité, je me précipite à mon tour dans la rue, l'ambassade est à l'autre bout du Plateau, pas très loin de chez moi.

Arrivé au but, c'est une effervescence comme je n'en ai jamais connu ! Mais là où je pensais être très vite refoulé par les forces de sécurité, quelle est ma surprise de parvenir presque jusqu'à l'enceinte de l'ambassade ! L'agression de la représentation française n'est pas ordinaire, j'en reste bouche bée. Pas d'armes, pas de combats, pas de rafales. Les assaillants attaquent l'ambassade... à la MERDE. Oui à la merde et à l'ordure ! Du jamais vu ! et franchement, je n'en reviens pas.

Tous les Abidjanais se sont passé le mot et se retrouvent à l'ambassade de France pour décharger leurs poubelles dans ses jardins et tout autour. Par tous les moyens de locomotion possibles, à vélo, en taxi, à pied, en carriole, ils sont venus chargés de toutes leurs saloperies. Certains, les piétons, plient sous le poids des énormes sacs de merde qu'ils portent sur le dos. C'est un flot continu de gens, charriant leurs dégueulasseries avec bonheur. Un groupe s'est organisé et ses membres font la chaîne jusqu'à l'ambassade. Un homme dépose des charognes de chevaux au seuil du bâtiment, un autre déverse une benne de poissons pourris. Je vois même un immondice de déchets hospitaliers hautement contaminants. Il ne manque plus que du fumier radioactif.

Polices et militaires sont débordés car l'odeur est bientôt insupportable et l'atmosphère empeste, l'oxygène est du vomi de tuberculeux pourri. Les légionnaires et les parachutistes renforcés de quelques sections ivoiriennes doivent abandonner la place tandis que l'ambassade est noyée sous une immense chiasse. À la force des bras, je vois se construire le plus grand chiotte du monde sous mes yeux. Par vagues successives et hoquetantes, un dégueulis immense engloutit la place. J'assiste à un phénomène surnaturel, je peux dire extraterrestre. Je suis fasciné.

Le siège dure trois jours, trois jours durant lesquels la merde continue d'affluer par paquets. Le personnel de l'ambassade est évacué dans la cohue, les bas de pantalon et les chaussures marron ou jaunes, c'est selon.

Deux hélicoptères Alouette ronronnent, ils se posent sur le toit et récupèrent des femmes et leurs enfants, on se croirait à Saigon au Vietnam en 1975. Je cherche le héros Chuck Norris. Peut-être est-ce lui qui dirige les opérations ?

Craignant, avec juste raison, que les troubles ne s'étendent et que la sécurité de Français ne soit mise totalement en danger, le ministère, à Paris, ordonne au personnel non diplomatique de se rapatrier vite fait. Paris affrète un charter à l'envers. Les secrétaires, les comptables, les standardistes, les employés se ruent dehors par le premier avion, traumatisés par ce qu'ils viennent de vivre, couverts de merde littéralement. On leur réserve un accueil fameux à Paris, avec toutes les télés, tous les micros pointés, toutes les médailles. On a tout perdu, on a tout perdu ! pleurent les ressortissants français, le teint bronzé (rouge), leurs enfants mal élevés dans les bras, tandis qu'aux premières loges les journalistes de TF1 commentent leur arrivée avec des mines complaisantes.

Les adjectifs « ridicule », « lamentable », « honteux », « obscène » sont bien trop légers pour qualifier le cinéma des rapatriés.

L'ambassade est abandonnée, la représentation bat en retraite et se réfugie au domicile personnel de monsieur l'ambassadeur. L'organisation du rapatriement et du rétablissement d'une mission diplomatique mobilise tous les militaires français venus à la rescousse sur le commandement express des gouvernements.

Pendant ce temps-là, c'est le joyeux bordel. Les gens s'en donnent à cœur joie et merdifient toujours plus le site de l'ambassade, roulent les drapeaux bleu-blanc-rouge dans le caca. C'est seulement pour la mémoire de Robespierre que j'ai de la peine. Bouchés depuis longtemps, les égouts d'Abidjan trouvent une issue qui leur convient. L'endroit devient insalubre pour dix ans au moins.

Devant moi, impuissant et sidéré, mon gagne-pain quotidien, ma grande source de revenus, mon principal pourvoyeur de papiers en tout genre s'envole en fumée, sombre dans la merde plus exactement. Profitant de l'occasion, Marie-Chantal est retournée dans son Berry natal. Trouvera-t-elle enfin du réconfort près de ses vieux parents ? Et la cure de sommeil prolongée qu'elle fera lui permettra-t-elle de se retrouver ?

Nous voilà au chômage technique. La France, c'est les trois quarts de notre chiffre d'affaires. Je suis violet bien sûr. Mais je ne pleure pas.

L'émeute gagne la ville entière. Tous les quartiers s'embrasent, de Yopougon et ses étudiants à Treichville et ses voyous, en passant par Vridi et ses dockers. Les armes font très vite leur apparition.

Laissée à ses lois primitives, Abidjan est abandonnée aux mains des guérilleros urbains. Ceux qui sévissent, sur les avenues, dans les ruelles, sont tous très jeunes, garçons et filles d'ailleurs, sans foi, ni aucune loi. La nuit, ils se cachent dans les labyrinthes pirates d'Adjamé ou sous les deux ponts qui traversent la lagune. Jusqu'à présent, leurs objectifs étaient presque toujours crapuleux, l'argent liquide, les bijoux, les voitures de luxe les intéressaient par-dessus tout. Là, ils ont l'occasion de mêler la révolte sociale à la crapulerie. Certains d'entre eux sont de vrais rebelles, sûrement. Mais dans l'insurrection, ils sont minoritaires par rapport aux pillards. Des groupuscules se battent entre eux, des bandes se tapent dessus.

Les armes automatiques crépitent, des quartiers sont encerclés, pris d'assaut dans un grand western sanglant. On a du mal à repérer les forces en présence. Les morts commencent à tomber, les grenades, les mines et les cocktails à sauter.

C'est le royaume de la kalachnikov et de l'Uzi, les balles perdues ricochent et touchent des passants, des enfants dans les cours et les rues, des gens sous la douche ou devant la télévision. Les snipers veillent aux carrefours, masqués. Il y a de la fumée partout.

Les militaires et les policiers se mettent de la partie, se divisent en factions rivales. Comme les guérilleros, ils se tirent dessus à bout portant, s'étripent à l'arme blanche, se lancent les uns contre les autres dans l'idée de s'éliminer mutuellement. Ils s'assassinent. Parmi eux, des individus en profitent pour descendre leurs voisins, leurs ennemis personnels, leurs créanciers ou tout simplement leurs concurrents amoureux. Un grand ménage.

Je m'étonne tout de même de la puissance de feu des belligérants, car les munitions ne manquent pas. Il faut dire que la Côte-d'Ivoire a toujours été victime, ou instigatrice (selon la version), d'un intense trafic d'armes, trafic officiel bien sûr avec les pays producteurs – la courtoisie, le sourire sont de rigueur – et parallèle. Dans un sens comme dans l'autre ce commerce rapporte gros, et entretient en ce moment pas mal de cadavres, la tête explosée du corps, les membres déchiquetés du tronc, les couilles détachées du cul. Quand on a vendu des armes, il faut que ceux qui les ont achetées s'en servent. C'est la moindre des choses.

Pour arranger la situation, un contrebandage très hard-core se développe avec le Liberia limitrophe où la guerre civile bat son plein, depuis toujours semble-t-il, grâce en partie aux intérêts convergents de ceux qui, au nord, au sud, fournissent et ramassent. Quand on parle du Liberia, on parle de catastrophe, de l'exemple à ne surtout pas suivre.

Les militaires ivoiriens sont armés par un État, ou plusieurs, tandis que les fusils des gamins braqueurs sont ceux des voisins libériens avec lesquels ils sont copains, même âge, même condition, orphelins, pauvres, malades, sauvages, révoltés, prêts à tout, kamikazes. Ils sont debout, face au monde, les armes à la main, pour se venger. La vengeance – oui, vengeance ! – est leur drapeau, leur dénominateur commun.

Au Liberia, tout est perdu depuis longtemps, le pays n'existe plus. Il n'est plus représenté dans les compétitions sportives internationales, il a déclaré forfait. Dans

218

une scène archiconnue d'hystérie collective tournée en V8 par des requins professionnels américains, Prince Johnson – un seigneur de la guerre, il règne en maître dans la brousse, une meute de soldats zombies à ses côtés – avale une livre de champignons hallucinogènes avec un peu de bière et découpe au canif Samuel Doe – un dictateur déchu au dernier moment, sa femme, sa famille l'ont trompé – tandis que Charles Taylor – un dissident soutenu à bout de bras par on ne sait qui – viole et torture tout ce qui lui tombe sous la queue. Personne ne se rendra dans cette lutte à mort que se livrent les rois du massacre. Ce serait cet enfer qui nous attend ? Et quand on pense à Kigali, à Goma, au Rwanda...

Certains Libériens, les plus chanceux, se sont réfugiés en Côte-d'Ivoire, échappant à l'armée locale – et par la même occasion à bien des dangers – qui a tendu un filet à la frontière pour ne pas les laisser passer, sortir de leur pays ruiné. Arrivés à Abidjan, les Libériens survivants vendent leur unique valeur, leur patrimoine, leur richesse, leur flingue donc, pour manger. Il est vrai que d'autres se font la guerre avec des armes autrement plus destructrices. Ici, point d'artillerie, de blindés ou d'aviation, ici, on se contente des amuse-gueules, on joue à Schwarzie, à Rambo pour 100 dollars US pièce. Ceci explique cela, tout le monde est armé.

Les journaux ont pratiquement cessé de paraître, ceux du pouvoir, ceux de transition, ceux des oppositions. Et les coupures d'électricité sont fréquentes dans certains quartiers. À « New York », nous en sommes protégés grâce à notre situation privilégiée au cœur du Plateau.

Tout l'immeuble est branché sur un bloc souterrain blindé. « New York », c'est vraiment notre sécurité.

*

Et puis très vite, dans la foulée, la télévision a disjoncté, non techniquement, Dieu merci ! mais idéologiquement, oserai-je dire. Les habituelles émissions de variétés débiles programmées en prime time ont toutes disparu et les informations avec elles, aux oubliettes ! Les animateurs décadents et populaires par mensonge ont sauté eux aussi, ils rentrent chez eux en caleçon. Plus aucune publicité ne vient nous fatiguer. Et les loteries pour faire rêver les pauvres sont mitraillées, des gagnants saignent sur les plateaux. Ils se traînent vers la sortie, en gémissant, blessés, et se tenant le ventre. Leurs tripes s'échappent de leur estomac perforé.

Aujourd'hui, la Télévision nationale ivoirienne est tombée. Nous le constatons sur le petit écran. La nouvelle est incroyable ! La télévision, le deuxième pouvoir, le média de la vérité officielle a été investi par le parti de la Révolution totale, résurgence du Che et de ses partisans, regroupement de parapoètes militarisés ! Ils séquestrent d'abord le directeur après lui avoir justement cassé la gueule et détournent ensuite l'antenne. Ils sont rejoints en renfort par des journalistes sympathisants infiltrés dans la place, dont le célèbre Docteur Cool, la Voix du matin ivoirien. Ils viennent soutenir la Révolution totale avec leurs amis, techniciens, cameramen, monteurs et ingénieurs. En un tour de main, ils branchent la machine visuelle sur les insurgés. Tous les micros, tous les cadres sont pour eux. En live, sur la première et la deuxième chaîne ! Vidéodrome, Total recall !

Les militants du parti de la Révolution totale sont prêts pour l'aubaine, et sont suffisamment nombreux pour se relayer sans lâcher l'image et sans nous ennuyer un seul instant. Soutenus par du hard-funk cartonné aux percussions, ils enchaînent les discours politiques ultra-révolutionnaires les plus enflammés où il est fait table rase de tout. L'argent n'est plus nécessaire car tout est gratuit, les nationalités, les frontières, les armes sont obsolètes. Les prisons sont abolies et remplacées par des universités, les prostituées sont libérées avec toutes les femmes soumises contre leur gré. Chaque citoyen est président, et les ministres sont des enfants. Dingue ! dingue ! dingue !

Les nouveaux poètes sortent leurs meilleurs costumes pour l'occasion. Passer à la télé ! Ils sont les plus disco de la planète. Ils portent le cuir et les couleurs, le strass à la ceinture. Les femmes mêlent le pagne à la dentelle pour leur lingerie sexy, leurs hommes ont chaussé d'énormes sous-Nike made in Taiwan. Ils fument tous de l'herbe avec un peu de champignons.

René et moi restons cloués à notre poste, ébahis, que d'étonnement et de surprises ces jours-ci ! Nous éclusons des caisses de bières, je n'ai jamais autant fumé d'herbe de ma vie, et pourtant Dieu que je fume ! C'est la beauté de la vie qui nous est programmée. La télé devient le miroir de notre imagination fondamentale, dans un show phénoménal, mis en scène dans le pur sens du délire.

Les membres de la Révolution totale veulent tout et ne donneront rien. Ils proposent des performances néo-punks, où tous, dans un même élan de triomphe, filles et garçons réunis bien sûr, se roulent par terre, se déshabillent, hurlent, chantent en chœur et dansent, paradent. Les décors qui les mettent en valeur sont hyperréalistes et polychromes, érotiques et défoncés, ils ont été barbouillés par les peintres les plus allumés, des peintres Z.

Les scènes sexy ne manquent pas, et les filles sont des déesses. Tout le monde comprend que les amants de la Révolution totale font l'amour dans les coulisses. Des cris de plaisir montent des couloirs.

Ce mouvement de liberté spontané prend vingt ans d'avance sur le théâtre, la musique et les livres.

Certains interprètes de ces folies, ouvertes sur les deux chaînes de télévision aux yeux de tous les Ivoiriens, sont des gourous de premier choix, des superstars.

MC Révolution, l'Ayatollah de la Poésie nouvelle, comme il se surnomme justement lui-même, connaît un grand succès. Il se distingue par des textes immédiatement classiques. Il récite de grands poèmes épiques où l'homme s'exprime à pleins poumons ; le Maître de cérémonie raconte la vie et la misère, concerne son public, parle avec lui. Pour autant, il n'accapare pas l'écran, MC n'est pas un tyran, il laisse la parole à ses amis. Pour le bonheur de tous, Docteur Cool accompagne MC Révolution dans ses diatribes et ses spectacles.

Docteur Cool peut tchatcher pendant deux heures et faire rire le public comme Coluche, en France, en son temps. Il soutient MC dans sa poésie.

MC Révolution rappe doucement sur une syncope de tam-tam doublée par une basse énorme, le texte est en avant :

*Révolution d'expression,*
*Connexions de rimes à sensation*
*Mon imagination travaille, j'ai des visions !*
*Des problèmes qui nous blessent, je fais la fusion.*

*Dans certains pays, on parle avec les munitions*
*Motherfucker Révolution !*
*Des salauds parlent au nom d'un peuple de solutions*
*Mais dans leurs crânes, rien que de l'ambition*
*Je suis révolté, dégoûté par ces systèmes de direction*
*Qui ne sont qu'une forme atroce de domination*
*Ils poussent le peuple à la frustration*
*Un système qui vous parle de dévotion*
*Alors qu'il dévore votre pognon*
*Je vous le dis avec conviction*
*Ce sont les bourreaux de la nation*
*Qui vous infligent des punitions.*
*Dans certains pays on parle avec les canons*
*Motherfucker Révolution !*
*Leurs fils meurent entassés dans des camions*
*Est-ce que c'est ce que nous voulons ?*
NON *!*
*Supprimez le R de Révolution*
*Et vous aurez le mot Évolution*
*C'est ce qu'il faut à notre nation*
*Pour que vive la population*
*Oui je parle de corruption, révolution, tractation, exé-*
*cution, punition, dévaluation, extorsion, diffamation,*
*de malédiction...*
*Motherfucker Révolution !*
*Révolution d'expression, motherfucker c'est la solution.*
*Si tu te bats contre le pouvoir en place*
*Sans coup férir tu perds ta place*
*Révolution c'est la liberté*
*Qui conduit le peuple vers sa destinée*
*Je suis, tu es, il est, nous sommes, vous êtes, ils sont,*
*concernés, touchés, traqués, exploités, bloqués.*
*Il faut s'exprimer pour que vive la liberté !*

*Nous ne devons plus être gouvernés*
*Par des illuminés, on a dégusté*
*Des requins oppressifs, agressifs*
*Qui ont rendu le peuple dépressif, négatif, inactif*
*Ils nous enfoncent dans la pauvreté*
*Nous perdons notre dignité*
*Révolution d'expression, c'est la solution*
*Motherfucker Révolution !*
*Motherfucker Révolution !*
*Supprimez le R de Révolution*
*Et vous aurez le mot Évolution !*
*Motherfucker Révolution !*
*Je parle à la télé de vérité, réalité, cruauté*
*Objectivité, créativité, pauvreté*
*Je veux communiquer, tout changer, je veux de la modernité.*
*Révolution d'expression, c'est la solution*
*Motherfucker Révolution !*
*Motherfucker Révolution !...*

Les phrases du grand MC Révolution sont simples et belles, tout un programme, elles sont ce que tout le monde pense ici depuis vingt ans. Les mots de MC sont ceux de la rue qui l'acclame maintenant dans les manifestations, des mots que les gens veulent prononcer et crier, et d'abord le mot RÉVOLUTION !!!

MC Révolution réinvente un indispensable premier degré. Docteur Cool à ses côtés se marre sans discontinuer, avec sa dégaine impossible on dirait Huggy-les-Bons-Tuyaux dans un *Starsky et Hutch*. Il est à l'aise. Docteur Cool exhorte à l'amour et au renversement des valeurs morales, sociales et politiques les foules qui se pressent devant la télévision.

Les happenings se succèdent sur un tempo endiablé et soufflent la tempête, ils durent.

Nous vivons devant la télé. Un instant, avec René, nous songeons nous aussi à rejoindre les insurgés, à descendre dans la rue, à nous battre pour nos idées, à brandir nos opinions, à hurler nos joies et nos peines, à défendre la Révolution et le Parti. Amidou Diallo, je suis un vrai rasta et ma place est à la télévision, avec eux, pour la Révolution. René Mwanga a lui aussi des choses à dire et à montrer, à exprimer clairement.

Nous larguons « New York », le trafic, les papiers, nos clients, et tout le tremblement ! Nous voici, Révolution ! Nous sommes tes fils, tes enfants, tes martyrs, la poitrine ouverte aux canons ! Dans notre zèle, nous voulons même casser l'ascenseur définitivement. Vive le monde meilleur ! Nous sommes là MC, à tes côtés, nous portons hautes les trompettes de la Sacrée Révolution, nous sommes venus l'esprit neuf et les pieds nus.

Nous entrons dans la danse, nous participons à tout, j'écris des textes fiévreux, des poésies B, que René fait passer de sa voix douce. René est un bon lecteur. Nous nous intégrons à la scène et aux ballets, nous délirons en liberté sous la lumière des projecteurs. Et puis, plus tard, nous fourbissons nos armes pour résister aux contre-attaques qui ne manqueront pas d'arriver. Nous ne céderons pas un mètre de terrain sous l'offensive, nous tiendrons le cap de la Révolution. La télé est à nous et elle le restera !

Nous retrouvons de folles conversations avec René et cette idée majeure, défendre la Révolution bec et ongles, cette idée pour changer notre vie nous a effleurés. Je tiens à le dire. À un moment, nous sommes peut-être presque prêts. Mais l'énergie n'est plus ce qu'elle est quand on a tant bu, tant fumé et tant dropé. Il nous faut nous rendre à l'évidence. Nous mettons un bon temps pour nous lever, deux semi-cadavres bousculés, et quand nous tenons à peu près sur nos jambes, le sort se renverse. L'armée lance un gros baroud vainqueur contre la télé et le parti de la Révolution totale. Deux chars Léopard participent à l'action, ce sont les seuls chars du pays, c'est dire l'importance de leur intervention, ils bombardent l'antenne et tous les systèmes de transmissions paraboliques. Les combats sont acharnés, les armes blanches sont dégainées, Docteur Cool est tué à la charge, en première ligne. Des militaires tombent sous les rafales, mais ils sont mieux équipés que les militants de la Révolution totale. Ils écrasent la résistance. En quelques heures les murailles du bâtiment tombèrent.

Les hommes politiques et les militaires qui apparaissent – d'entrée leur langue est de vipère – nous arrachent la télé et, par là même, tous les moyens d'expression. On ne parle plus du parti de la Révolution totale. Il est oublié, jeté au feu de la défaite.

Des vieillards en tenue correcte, des hommes exclusivement, imposent leur image moche. À leur tour, ils s'emparent de la parole, mais les informations qu'ils donnent sont saccadées, erronées, incomplètes et mensongères, elles n'intéressent personne. Nous tombons de haut. Ces connards commencent par annoncer la fin anticipée du championnat de football et déclarent l'ASEC vainqueur. Cette fausse victoire ne me fait pas chaud au cœur.

Les fossoyeurs de la Révolution totale portent des uniformes impeccablement repassés. Je me demande d'où ils les sortent. Ils transforment la télévision nationale en bunker, en un camp retranché, imprenable. Ils montent des miradors et installent des vigiles à l'entrée des studios, des barbelés électrifiés isolent le site. Leur première intention est de mettre la ville en coupe réglée. Ils décrètent l'état de siège et le couvre-feu. Encore faut-il pour décréter avoir les moyens de contrôler et de réprimer si besoin est, alors ils lancent leur milice dans une chasse à mort aux sorcières. Cette milice est en fait une fraction dissidente, ultraréactionnaire, de l'armée, sa mission est bien définie : maintenir l'ordre, c'est-à-dire couper la tête de tous les révolutionnaires bien sûr, mais aussi de tout ce qui est archimerdeux pour eux, les trafiqueurs en premier lieu, les voyous, les homosexuels, les prostituées, puis les poètes et les chanteurs, les aventuriers, les dealers, enfin les docteurs, les professeurs. Scalper les commandos urbains, et faire sécher les têtes des meneurs au soleil, entre également dans leurs prérogatives. Faites s'il vous plaît une petite place à la barbarie. Sortez les machettes et les lances ! Bienvenue à l'inquisition !

René et moi, les trafiqueurs, venons en tout début de liste. Nous, angoissés de discrétion dans notre métier, nous, toujours soucieux de tenir les remous le plus loin possible de nos affaires, nous nous retrouvons soudain très exposés. Je m'en doutais un peu.

Dans la rue la confusion continue, cela nous permet de gagner du temps. Bien qu'il soit interdit désormais de sortir la nuit, et ce jusqu'à nouvel ordre, nous passons outre à nos risques et périls en tablant sur le fait que les miliciens ne sont pas assez nombreux pour quadriller le grand Abidjan. Abidjan est immense et ne finit jamais.

Nous fonçons au Blue Note, revoir Saint-Ange, écouter ses conseils, savoir comment agir. René a du mal à faire vite.

Mais nous trouvons le Blue Note fermé, et même réquisitionné, consigné. Nous ne pouvons nous approcher de la boîte de plus près de peur de nous faire contrôler nos papiers, un comble tout de même.

Nous questionnons les gens dans la rue. Personne ne nous répond quand nous demandons où est passé Saint-Ange. Enfin, nous tombons sur le petit vendeur de cigarettes qui a l'habitude de travailler toute la nuit devant le Blue Note. J'ai toujours soupçonné ce petit gars d'être un indic, je lui glisse un billet de 5 000, il est bavard, je lui donne deux belles coupures de 10 dollars, il devient très bavard. Il nous apprend que des hommes en treillis ont arrêté Saint-Ange et Djénéba, *manu militari*. Ils les ont brutalisés, car Saint-Ange ne cessait de les insulter du pire, puis les ont emmenés vers une destination inconnue, une caserne ou leur QG.

– S'ils ne l'ont pas tué sur place, cela veut dire qu'ils ont reçu des ordres précis, dis-je à René, ils vont le faire parler de ses amitiés et de ses affaires, puis après le faire disparaître aussi discrètement que possible. La lagune est à deux pas.

René ne répond pas, il me regarde avec de grands yeux transparents. J'ai peur pour Saint-Ange, voyou, alcoolique, clochard, métis, drogué, et sûrement un peu juif aussi, tout à la fois. Saint-Ange va payer ses tares à prix coûtant, au prix de ses couilles, au prix du cul et des seins de sa femme.

– Putain ! Saint-Ange, réagit enfin René.

– Très grosse merde, lui dis-je.

Le petit vendeur de cigarettes est encore avec nous. Il attend. Je lui demande :

– Qu'est-ce que tu veux encore ?

– Ah oui, au fait, vos copines... Comment s'appellent-elles déjà ?...

– Rachelle, Ti...

– Oui, c'est ça, elles traînaient souvent au Blue, me répond le petit gars avec un air plein de sous-entendus.

Je m'énerve :

– Eh bien quoi ? tu vas parler ou merde !...

– Elles ont eu des problèmes, elles aussi... de gros problèmes... de très, très gros problèmes, je peux même dire...

– Qu'est-ce que tu racontes, petit connard, tu veux dire que...

– Oui, voilà, pfuitt... disparues elles aussi, raflées, enchaîne-t-il, apparemment ravi de nous apprendre que les filles se sont fait embarquer avec Saint-Ange.

Je hurle :

– MERDE !!! C'est pas possible... mais c'est pas possible...

Je veux lui foutre ma main sur la gueule. Il ricane. Au moment où je crois le choper, il se dégage et s'enfuit en courant.

– Merci pour l'argent patron, grand merci, me crie-t-il de loin. Quel salaud ! Il s'évanouit dans la nuit noire. J'ai envie de pleurer. Tous mes amis sont pris au piège, au pire des pièges. Et je ne peux absolument rien pour eux. Mon impuissance est du désespoir.

Je pense à tout en même temps, j'hésite même à rentrer à « New York », peut-être les miliciens nous y attendent-ils déjà ? Il leur suffirait de neutraliser Coulibaly Mory, de se planquer autour de l'immeuble et de nous guetter. J'efface immédiatement cette pensée de mon esprit, si je commence comme ça, je ne ferai plus un pas, ni devant, ni derrière moi, ni à gauche, ni à droite.

Nous sommes partagés entre deux sentiments, René et moi, deux sentiments de souffrance. D'un côté, l'idée de savoir Saint-Ange aux mains de tortionnaires déchaînés répondant mécaniquement aux commandements de fous militaires jusqu'au-boutistes nous terrorise. Et quant aux filles, nous n'osons même pas imaginer ce qui pourra leur arriver. De l'autre, nous pensons à nous, car nous aussi sommes dans la pire des fosses à purin. Les types sur lesquels Saint-Ange est tombé sont des vicieux, des adeptes de la torture certainement, qui sauront comment lui poser les bonnes questions, Saint-Ange dira tout, impossible autrement. Il donnera nos noms, nos signalements, notre adresse, toutes les précisions sur notre business, c'est lui qui l'a initié. Et si le programme des miliciens consiste à éliminer la racaille, la racaille c'est nous.

Retour à « New York ». Coulibaly Mory, en bas, a la peau verte d'angoisse et de peur. Il est hystérique. « On va tous mourir ! on va tous mourir ! » crie-t-il, hors de lui. On croirait un prédicateur davidien. Nous le calmons, mieux nous le raisonnons et nous lui faisons jurer de travailler avec nous jusqu'au bout. Coulibaly Mory bafouille, c'est la première fois que je le vois perdre son sang-froid.

– Faut quitter patron ! faut quitter vite, nous dit-il, tragique.

Mais Coulibaly Mory tiendra sa promesse, il restera. Nous n'avons plus le choix des armes.

J'essaie la télépathie. Saint-Ange, m'entends-tu ? Saint-Ange, réponds-moi, qu'est-ce qu'on fait maintenant ? Saint-Ange, m'entends-tu ? Saint-Ange, réponds-moi, je t'en prie... qu'est-ce qu'il faut faire maintenant ?

René tourne en rond dans le salon, absolument paniqué. Il engouffre des pilules, la bière au goulot en alternance avec du sirop.

Je prends les choses en main grâce à l'instinct de survie qui heureusement ne me quitte pas.

– Première chose, le fric, on fonce à la banque – qu'est-ce que nous avons pu foncer ce jour là ! –, on sort les dollars, on retire tout, dis-je sur le speed à René.

Pas de problèmes à la banque, el-Zayed se trouve dans un état similaire à celui de Coulibaly Mory, à croire qu'ils ont bu une bière ensemble dans l'après-midi, ce qui ne peut pas être le cas, soit dit en passant. El-Zayed n'est pas vert mais blanc comme un linge, son col est mouillé de transpiration, sa cravate est en laisser-aller. Il y a de quoi ! Si une bande a la bonne initiative de s'attaquer à la banque, el-Zayed et ses amis risquent de se faire tout braquer. Par la même occasion, ils laisseront leurs gorges sur le pavé, avec leurs couilles. El-Zayed réalise des transferts de fonds sur des comptes étrangers depuis quarante-huit heures, et sans interruption. Toutes les trente secondes, il regarde sa montre comme si elle allait s'envoler de son poignet. Il a perdu toute contenance et toute civilité, il est pressé, il exécute notre opération à toute vitesse, mécaniquement. El-Zayed nous remet nos dollars de ses propres mains, nous les enfournons dans un sac de la Poste ivoirienne piqué au bureau d'en face, et nous demande de nous en aller, pas de poignée de mains, pas de ronds de jambes, pas de

231

salutations, c'est fini tout ça ! El-Zayed tremble, il a peur pour sa peau. Mourir à Abidjan, mon vieux, voilà ce qui t'attend, te faire découper en rondelles sur la planche de ton bureau de merde, pensai-je à son endroit.

*

Plus question de tergiverser. Nous n'avons plus qu'à nous enfuir en courant. C'est la fronde, ce sera la terreur.

L'organisation de mon départ est très rapide, je l'ai tellement rêvé ce départ, je m'y suis préparé mille fois. Ce n'est pas qu'il m'enchante particulièrement ce départ, mais mon destin ne me surprend pas. Je ne donne pas le temps à mon esprit de me proposer ses états d'âme. Toi, ta gueule ! me dis-je à moi-même. J'ai toujours détesté partir. Je me connais suffisamment maintenant pour m'éviter toute une foule de questions. Je ne pourrai survivre qu'en phase de schizophrénie intense. Je plonge. Je me dédouble.

J'évite de penser à Tchétché, que je ne reverrai pas. Alors je m'isole un quart d'heure et je ne pense qu'à elle, je lui parle, je la caresse, je lui promets toute ma vie et d'être la sienne. Je finis par un « je t'aime » qui ne vaut rien.

J'ai tout prévu. J'ai gardé quelques passeports à des fins personnelles. Je ne me ferai pas avoir comme Napoléon à la Berezina, j'ai assuré mes arrières. J'ai retenu cinq passeports qui pourraient m'arranger, il faut en choisir un, soigneusement, la suite de mon destin en dépend. Quelle nationalité va être la mienne, et quelle direction vais-je bien pouvoir prendre ?

Pour la dernière fois, j'étale des papiers devant moi, sans nostalgie. Et cette fois-ci les papiers me concernent. Alors...

Je possède un passeport mauritanien, de format carnet, à la couverture verte, rédigé en arabe et en français, à la plume, au nom de Mohammed N'diaye, je suis vraisemblablement d'origine sénégalaise, né le 8 octobre 1968 – parfait ! – à Nouakchott, je mesure 1,77 m, je suis assez noir de peau, mais pas trop, je suis vraisemblablement d'origine peul, comme moi, comme moi Diallo, voulais-je dire. Pour métier officiel sur mon passeport, je suis commerçant, ça tombe bien moi aussi. Je falsifie facilement ma photo à la place de celle de Mohammed N'diaye. Une opération que je répète avec succès pour chaque passeport. En position de survie, mes gestes sont toujours précis, une chance. Je ne tremble pas. Oui, c'est pas le moment.

Mon nom est Eugen – sans *e*, c'est étonnant, mais ma foi assez joli – Owubokiri, né le 3 juin 1966 à Ibadan, Nigeria. Mon surnom – je dois être quelqu'un d'important alors – est écrit sur mon passeport, Eugen Owubokiri, dit Ricky, « Ricky », OK, ça me convient. Je mesure 1,80 m, c'est ma taille exacte. Je suis International dealer, une transcription britannique, très classe et poétique de la profession bien connue de commerçant.

Je porte un nom tout à fait espagnol qui me fait rêver au grand Barça de Johan Cruyff.
Nom : Esterez, prénom : Miguel, Équato-Guinéen né à Bata – je connais Bata, j'y ai passé dix jours à manger des haricots rouges, il y a longtemps de cela – le 26 septembre 1963, no trabajo. J'ai une sale gueule sur

ma photo, mais ce n'est rien de changer tout ça, de la chirurgie esthétique à la colle et aux ciseaux.

Je pèse les avantages de tous ces passeports et de toutes ces nationalités, de ces noms, le pour le contre, chacun d'entre eux pourrait convenir, mais je ne suis convaincu par aucun. Je continue donc ma liste et ma lecture, tout de suite je tombe sur ce qu'il me faut.

Voici enfin mon vrai nom, mon nouveau nom, et peut-être le nom que je porterai jusqu'à ma mort, que mes enfants hériteront. Aurai-je des enfants ? Nous verrons bien, on ne sait jamais.

Écoutez bien, je m'appelle Sunny Adama, mon passeport gambien est rouge, je suis né le 22 mars 1964 à Serrekounda – Serrekounda, une banlieue à la fois vaudoue et parallèle de Banjul. Je mesurais 1,94 m, mais j'ai habilement raturé le 9 pour obtenir un 8 plus convaincant. 1,84 m, je reste crédible. Cela dit, je suppose que les douaniers de la planète entière se foutent comme de leur première chemise de la taille supposée de leur client.

Je suis gambien, je peux improviser des borborygmes qui passeront éventuellement pour de l'anglais, ma langue officielle en Gambie. Je suis noté comme commerçant bien sûr. Quatre Africains sur cinq, possesseurs de passeports, exercent le commerce, faut-il le rappeler, les autres sont soit diplomates soit artistes.

Je garde le passeport gambien, je jette tout le reste des papiers, y compris les miens, dans les chiottes.

Bien sûr, j'ai une pensée émue pour les papiers au nom d'Amidou Diallo. Franchement, malgré sa bonne conscience et ses rêves de héros, malgré sa morale un peu à toute épreuve, malgré sa psychologie et sa mégalomanie de série B, malgré ses problèmes romantiques, je l'aimais bien. Voir disparaître Amidou Diallo dans les chiottes, sous l'écume de la chasse... Est-ce le happy end qu'il aurait souhaité ? On ne choisit pas toujours sa fin. Enfin, je ne pense pas qu'il soit vexé, Amidou ne basait-il pas son rythme de vie sur sa scatologie ? Regrette-t-il maintenant d'être confondu avec de la bonne chiasse ? Il trouvera l'aventure poétique, j'en suis sûr.

Broyé, Amidou Diallo rejoint les tuyauteries, se confond avec toutes les merdes des voisins, se merdifie complètement, finit dans la lagune où il fait le dîner des serpents. Les serpents gerberont-ils à leur tour ? Les mystères de la nature sont insondables. Amidou Diallo retourne à l'univers.

Grâce à mon passeport gambien et à ma date de naissance antérieure à 1965, date de l'indépendance du pays, j'obtiens un certificat provisoire de sujet de Sa Majesté, de Sa Majesté la reine d'Angleterre bien sûr. Né en 1964, je suis né anglais, eh oui ! c'est vrai. Je suis citoyen britannique, et quand je pense à mon anglais pourri, je rigole. Mais dans quelle langue Othello s'adressait-il à Desdémone ?

Avec cet acte et mon passeport toujours à la main, c'est un jeu d'enfant d'attraper un visa pour les États-Unis. Bien que je n'apparaisse pas comme londonien de souche, comment les Américains pourraient-ils refuser l'entrée de leur territoire à un Anglais ? Vu la situation en ville, ils ne me font aucune difficulté. Ils honorent leurs quotas prévus de réfugiés, j'ai la chance d'entrer pile dedans.

Sunny Adama, c'est un beau nom, vous ne trouvez pas ? C'est un peu un nom d'apôtre pour moi. Sunny

235

Adama. Je pense à un monde qui se lève. Non, plus sérieusement, c'est un nom qui m'arrange bien.

Hier à « New York », demain à New York, aujourd'hui encore un peu Amidou Diallo, mais presque aussi Sunny Adama, est-ce le même ou un autre qui s'en va ? De « New York » à New York, il n'y a qu'un pas.

Émigré hier, immigré aujourd'hui, exilé, déplacé, déporté, réfugié, qu'importe ! Changer de pays, changer d'état, changer de nationalité, partir en Amérique... mais n'ai-je donc pas vécu déjà tout ça dans une autre vie ?

Nous avons indiqué son congé à Aïssa.

C'est idiot, mais nous nous sommes fendus d'une larme, plus que sincère.

– Salut Aïssa, bonne et longue vie à toi ! lui a dit René.

Elle a souri. Puis, il l'a prise par les épaules, et l'a embrassée sur les deux joues, comme un grand frère pour sa petite sœur. À côté de René tout maigre, Aïssa paraissait très grosse, une petite boule. À mon tour, j'ai embrassé la petite dans un protocole silencieux qui a fini par nous faire rire franchement tous les trois.

Aïssa a reçu sa part, une participation à la réussite de l'entreprise, une espèce de retraite, 10 000 dollars, une somme mine de rien, de quoi voir venir, retourner au pays, j'espère que l'espoir lui en est permis, cesser d'être une immigrée comme nous tous, pour une fois, investir dans un commerce, plus tard, quand tout ira mieux. Vendre des pagnes, son rêve. Aïssa n'a peut-être pas de langue, mais elle a de la cervelle, elle saura s'entourer et prospérer. Aïssa, je ne t'oublierai pas.

– Aïssa, tu es libre maintenant, résiste aux coups, prends garde à toi, lui ai-je dit, un peu paternel.

La petite a souri encore une fois. Elle nous a donné un gri-gri à chacun, deux minuscules poches de cuir que l'on fixe au bras par un lacet. Elle a grincé des lèvres pour nous faire comprendre à quel point ces talismans nous aideraient à vivre. À survivre Aïssa, à survivre. Ces adieux furent solennels, certainement. Mais il y avait de la beauté là-dedans, ne serait-ce que dans les deux visages, celui d'Aïssa, celui de René.

En partant pour l'aéroport, j'ai laissé un bon 3 000 dollars à Coulibaly Mory.
– A bana, on quitte, lui ai-je simplement dit.
– C'est d'accord patron, ça va bien, m'a-t-il répondu.
Coulibaly Mory m'a serré la main à m'en briser les phalanges.

René, mon partenaire devant l'éternité, s'est échappé à San Pedro, en brousse, au bord de la mer – ce n'est pas incompatible –, très loin, à 600 kilomètres à l'ouest d'Abidjan, vers le Liberia. San Pedro est un petit port de pêche que rien ne peut atteindre, Sainte-Hélène, l'île du Diable, Harare.
Des cousins du Congo qui vivent là-bas l'hébergeront par solidarité. Isolé à la campagne, René décrochera peut-être de ses angoisses et de ses médicaments – c'est tout ce que je lui souhaite – ou bien trouvera des pharmacies locales complaisantes envers ses penchants. René se démerdera (dans la vie, il s'en est toujours sorti), il travaillera pour trois sous, planqué sous une nouvelle identité – je ne sais pas laquelle il s'est choisie – comme aide-comptable aux docks, sur le port, le temps que la situation se tasse, émigré encore une fois, exilé de toujours. Tel est le sort de René. « Inch'allah demain nous

237

réservera des jours meilleurs », pensera-t-il en rêvassant, oui René, inch'allah, inch'allah.

René a gardé les clefs de « New York », on ne sait jamais.

Moi je sais qu'il les jettera bientôt, comme de vulgaires cailloux dans l'Océan.

J'ai pris mon taxi en direction de l'aéroport. Pour la dernière fois, j'ai traversé Abidjan, sans nostalgie et sans remords, et passé le pont ; la lagune est plus sale, inquiétante et noire que jamais, la mer a disparu. Le ciel est si bas qu'il en étouffe les cieux. Il va pleuvoir. Le taxi a dévalé le boulevard Giscard-d'Estaing, ici et là des traces de combats, des empreintes d'obus au sol, des maisons en cendres, certaines encore en flammes, des enfants qui courent et s'amusent dans la rue, des fuites d'eau monumentales, des commissariats et des bâtiments officiels dévalisés, des slogans sur les murs, écrits en lettres de sang.

L'aérogare est bondée, les gens se marchent dessus. Des vols sont annulés, d'autres retardés, des avions-cargos humanitaires commencent à débarquer. Les responsables des organisations non gouvernementales sont en proie à des problèmes de paperasserie avec des autorités qui n'en ont justement plus, et qui ne pensent qu'à se servir et à faire payer. La plupart des comptoirs commerciaux sont fermés. J'ai la contremarque MCO que l'on m'a donné à l'ambassade des États-Unis pour voyager. Dans le terminal de départ, des familles campent, priant Allah ou Dieu pour voir atterrir le jumbo-jet qui les emmènera ailleurs, loin d'ici. La confusion est totale, c'est le bordel, on court sur les pistes, les sacs à la main, les enfants dans le dos...

J'ai les poches de mon boubou et mes deux sacs bourrés à craquer de dollars, je n'ai plus qu'à prier, moi aussi, pour ne pas me faire fouiller à l'arrivée. J'ose espérer que les Américains auront la délicatesse de ne pas traumatiser des réfugiés en leur imposant un contrôle des maigres affaires qu'ils auront pu sauver.

Mon passeport gambien passe bien sûr comme une lettre à la poste aux yeux de douaniers ivoiriens qui s'en foutent royalement et dont le seul souci consiste à racketter encore un peu d'argent. Je leur laisse mes derniers CFA pourris.

Le 747 est prêt à décoller, nous sommes à peu près quatre cents à nous tirer. Les moteurs ronflent, le bruit des réacteurs nous assourdit, éteindre sa cigarette... je serai tranquille quand nous serons dans le ciel... Les hôtesses gonflent en démonstration les gilets de sauvetage et l'appareil commence à virer pour rejoindre sa piste, je boucle ma ceinture, redresse mon siège, je respire un grand coup je déteste les décollages, je ferme les yeux...

Je suis arrivé à JFK. Comme je m'en doutais, aucun problème pour mes dollars, pas de brutalités, pas de fouilles, il nous a simplement fallu répondre à un questionnaire alambiqué, et subir l'interview d'un préposé à l'immigration. J'ai pris un air ahuri. Nous avons eu droit aux regards contrits des autorités américaines devant notre malheur. Un fonctionnaire de l'Administration, cheveux longs et boucle d'oreille, nous a expliqué notre sort, mais nous n'avons rien compris.

Après nous avoir fait passer un test de séropositivité dont nous n'avons pas eu les résultats, on nous a parqués quelque part. Plus tard, je connais les camps dans le New Jersey, à côté d'une réserve indienne. Les Indiens fument de la bonne herbe, ils la partagent et la vendent, j'en profite. J'apprends quelques mots de leur langue, des salutations, à dire merci. J'ai même une petite amie dans le coin. Puis, c'est une implantation en Ohio, le trou du cul du monde. Je ne supporte pas la vie là-bas, je ne suis pas fait pour végéter en brousse, pas question de devenir neurasthénique, je n'ai pas fini de vivre, je m'échappe et retourne à New York, cette ville m'attire.

Après un voyage d'une quinzaine d'heures suivant un non moins long trip en car – quel grand pays ! – je débarque de mon train à Penn Station. Je remonte la 8e Avenue jusqu'à la 42e Rue et Port Authority – la pègre traîne dans le quartier –, puis je fais crosstown. Partout des magasins de sexe visqueux, des salles de cinéma pornographique, des dealers nègres et chicanos, des travelos difformes, des putes osseuses et défoncées, des clochards, des crackés... qui me rassurent. La vie serait-elle partout la même ?

Un énorme panneau lumineux annonce le basket-ball game de ce soir, les Knicks jouent les L.A. Clippers à 20 heures au Madison Square Garden. Patrick Ewing loin de la raquette pour un triple double et Charles Oakley au rebond défensif, John Starks shoote à trois points, le money-time est pour lui, Derek Harper mène le jeu, au pied levé et arrivé de Dallas dans l'année il remplace Doc Rivers blessé. *Dee-fense ! Dee-fense ! Dee-fense !*

New York, je jette un regard immense autour de moi. À ce que je sens et vois, c'est bien le diable si je ne trouve pas une bonne magouille ici. Mais peut-être aussi me rangerai-je des trafics, de la merde et des conneries, et pourquoi pas ? Refaire ma vie, je connais ça. Repartir du plus bas de l'échelle, je suis prêt. Pour 25 dollars, je passerai ma driving license, par exemple, et je trimbalerai les New-Yorkais dans leurs rues, leurs avenues, du Bronx uptown aux bas-fonds de Bedford-Stuyvesant, à Brooklyn.

New York, le climat est si rude en hiver, le vent siffle entre les blocks, mais j'aimerai la neige et le patinage à Central Park, le jour de Noël, les guirlandes dans les vitrines, les exhibitions chez Barney, Hanoukka, les chandeliers à sept branches branchés sur l'électricité, Times Square et ses cinés.

Je passe le Williamsburg Bridge dans un fracas de ferraillerie, Manhattan m'engloutit et toutes les lumières de la ville sont pour moi, inside out, upside down. J'habite Harlem, 145e Rue et Saint-Nicholas Avenue, un taudis bien loin du luxe de notre « New York ». Mes voisins sont tous caractériels, dont un très gros, plus qu'obèse, qui passe sa vie devant la télé, la main coincée sur une bouteille de bière Miller. Je fume des Marlboro, des vraies, elles viennent de Richmond en Virginie, et non des usines de contrebande du Nigeria. Je bois un café-carton bouillant, l'eau marron – l'eau des chiottes, dit-on – me brûle la gueule, mais c'est bon. Le beurre fondu sur mon bagel, de mes doigts gras je tourne distraitement les pages de l'*Amsterdam Journal*. Quelle heure est-il sur mon imitation Rolex ? Le jour ou la nuit ? Je m'en fous. Ici, tout se confond, et le toc est dans la vie, il est culturel. La culture du toc. Plus tard, au Lucky Star Deli, dans l'arrière-salle, sur la 50e et Broadway, je me régale d'un excellent *tiep bou diene* [1] avec une bière, comme au pays. J'ai trouvé de la sensemilla sans problème, la marijuana la plus merveilleuse qui soit. Un ami m'a donné la carte de visite d'un bon dealer. Je compose le numéro de son beeper – décidément un outil universel – je presse le « dial » et j'entre mon code. Je raccroche, le sourire aux lèvres. Sure shot. Cinq minutes plus tard on me rappelle :

– Flowers Incorporated, what' up ?

– Yeah, dis-je avec mon fort accent, a pack for one hundred.

Et je donne mon adresse.

---

1. *Tiep bou diene* : riz au poisson.

242

– Forty-five minutes, conclut mon interlocuteur avec précision, thank you for calling Flowers and Corporated. Je suis à l'aise. Je me droguerai tout à l'heure.

Mais au coin de ma rue, à Harlem, pour un dépannage, deux pétards, je suis certain d'être réparé dans la soirée. Les gens sont gentils et conciliants ici, ils ont le mot aimable. Ils sont travailleurs en Amérique, ils se donnent du mal, les services sont sympathiques.

Oui, j'aurai de nouveaux amis et les femmes to have sex ne manquent pas, elles ont le goût de la lingerie. Je serai heureux finalement ?

Je serai taximan, oui, je conduirai une Chevrolet Caprice, les vitres sont automatiques comme la boîte de vitesses. Je travaillerai la nuit aussi, sans angoisse, sans peur et sans folie, sûr de mon rêve une nouvelle fois. La chaussée de la 6e Avenue est complètement éclatée, j'évite les trous et les ornières à grands coups de volant, j'ai un bel accent rasta...

Taximan, je descends Broadway à fond la caisse ! La sono de bord branchée, dans les oreilles j'ai Ice Cube et du reggae. À droite de mon volant, ma fiche signalétique de chauffeur autorisé de New York City, avec mon numéro de matricule, la date d'expiration, ma photo, et Sunny Adama... mon nom.

# ÉPILOGUE

Le lendemain de mon arrivée à New York, l'aéroport international de Port-Bouêt-Abidjan tomba aux mains de rebelles jamais vus auparavant, ni à la télé, ni dans la rue, se réclamant d'un Front populaire patriotique des travailleurs, quelconque et vraisemblablement improvisé. Coupés de tout, sans plus aucune communication avec le monde extérieur, les gens d'Abidjan et du pays tout entier allaient pouvoir régler leurs comptes entre eux. Tout resurgit : les frustrations exacerbées, les complexes enfouis, les vexations et les humiliations, les injustices sociales, ethniques et politiques, le passé colonial trafiqué, les frontières artificielles. Dans un cri venu du fin fond de leurs gorges, dans un spasme électrique des boyaux et du ventre, toutes les populations se soulevèrent les unes contre les autres, sans limites, sans retenue. Il n'y avait plus d'unité nationale et tout d'un coup plus de pays.

Alors, seulement, ce fut la guerre.

Saint-Ange, René, Brigitte, Tchétché, Aïssa, Coulibaly Mory en bas, Barbès-Clichy et Oumou Sy, Marcel au Treichôtel, Rachelle, Tina et Pélagie, Traoré Abdoulaye, et toi aussi le grand MC... Révolution... vous m'entendez ?